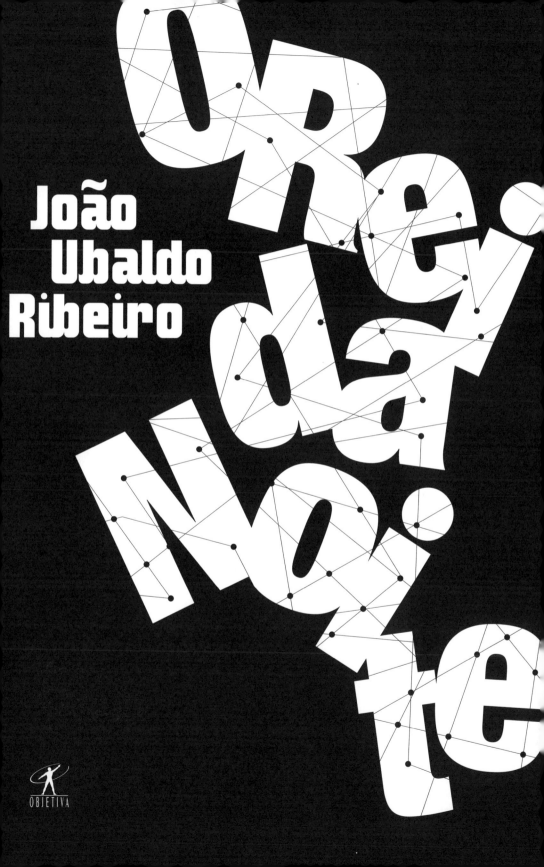

Sumário

- 7   O Rei da Noite
- 15   Moral Elevado
- 21   Traumas Carnavalescos
- 27   A Qualidade de Vida Ataca novamente
- 31   Em Defesa do Padrão Nacional
- 35   A Renovação num Boteco do Leblon
- 41   A Crise *by Night*
- 47   Aventuras Naturais
- 55   Alpiste para as Rolinhas
- 59   Questões Cornológicas
- 65   Zefa, Chegou o Inverno
- 73   Num Boteco do Leblon
- 81   Itaparica *by Night*
- 87   Considerações Iatrofilosóficas
- 93   A Formação do Jovem
- 99   Lá Vem ou lá Foi, eis a Questão
- 103   Mas não no Sul
- 109   Internação, Corrente ou Aposentadoria
- 113   De Volta ao Calçadão?
- 117   O Dia em que Nós Pegamos Papai Noel
- 123   Saúde para Dar e Vender
- 127   A Família Moderna num Boteco do Leblon

- 133   O Caso do Papagaio Zé Augusto
- 137   Sete de Janeiro
- 143   O Eterno Feminino num Boteco do Leblon
- 149   Colhudeiros da Ilha
- 155   Não Esquentemos a Cabeça
- 159   Como É Seu Nome Completo?
- 165   Viroses da Vida
- 171   Alegrias da Velhice
- 175   O Astro
- 179   O Dia em que Eu Fui Fazendeiro no Arizona
- 185   Não Estou Preparado
- 191   Boas Entradas num Boteco do Leblon

O Rei da Noite

— Eu disse que nunca mais punha os pés na rua, nunca mais ia a festinhas, nunca mais entrava num bar, eu disse!

— É, você disse. Você sempre diz isso. No dia seguinte você sempre diz isso.

— Então? Então? Então você devia levar isso em conta. Quando eu disser "hoje vou sair", você diz "não vai", pronto. Basta isso, eu atendo, você sabe que eu atendo.

— Você nem ouve, quanto mais atender. Você entrou em casa cantando "Rio Babilônia", parou na porta, deu uns remelexos meio tipo Elvis Presley e gritou com o mesmo olhar com que às vezes fica na praia: "Mulher, vamos pra festa do Neville! Rio Babilôooonia!"

— É, eu me lembro. Você foi sarcástica, muito sarcástica. Não é preciso ser tão sarcástica comigo e meus amigos.

— Eu, sarcástica? Eu só perguntei se você tinha certeza de que podia entrar mulher grávida.

— E então? Só porque era a festa do meu amigo Neville tinha de ser uma esbórnia, não foi isso que você quis insinuar?

— Absolutamente. Quem insinuou foi você, com aqueles seus... seus meneios aí na porta e com aquele olhar que não permitiriam na novela das oito.

— Eu não fiz olhar nenhum!

— Fez. E continuou a fazer praticamente a noite inteira. Mas acho que não tem importância, seus amigos já estão acostumados. Uma coisa de que ninguém pode lhe acusar é falta de coerência. Você faz invariavelmente as mesmas coisas.

— Eu beijei Ivan Chagas Freitas outra vez?

— Não, desta vez não, mas isto é um pormenor. E de mais a mais você chegou com ele, não acredito que o beijo se justificasse.

— Eu fui com ele? Claro, fui com ele. Lembro muito bem. Aliás, lembro muitíssimo bem, lembro de tudo. Chegamos juntos, o Ivan elegantíssimo, de *smoking*...

— Ivan não estava de *smoking*.

— Como não estava? Claro que estava, eu não sou maluco, vi perfeitamente. Eu até fiz uma brincadeira, falei: "Ivan, este *smoking* de teu pai caiu muito bem, muito bem."

— Isso foi a foto do Ivan na festa do Ibrahim. Você viu a foto do Ivan de *smoking*.

— A foto? Bem, certo, mas o fato é que eu vi o Ivan de *smoking*, eu lembro de tudo perfeitamente. Nós entramos, abraçamos o Neville e aí batemos um papo com a Tônia Carrero, gostei muito dela.

— É, este foi um problema. A Tônia Carrero não estava lá.

— Como não estava? É claro que estava!

— Não. Estava uma senhora lá que você ficou chamando o tempo todo de "Tônia, mas veja você, Tônia, mas ora, Tônia". Ela tentou avisar algumas vezes, mas você só dizia "querida Tônia, mas que *mot d'esprit*, que *boutade*, ha-ha-ha!"

— Não era a Tônia? Mas era a cara!

— Espero que a Tônia nunca saiba desta sua opinião. De qualquer forma, isso não teve importância, porque você elogiou muito a senhora, ela deve ter ficado satisfeita. Aliás, você elogiou todo mundo.

— Elogiei? Ah, elogiei? Bem, ótimo que eu elogiei, quer dizer que não tem vexame para lembrar.

— Nada, vexame nenhum. É bem verdade que você fez alguns elogios agressivos, mas todo mundo já deve conhecer a sua exuberância. Quer dizer, não sei se o Renato Machado ficou muito feliz, não tenho certeza.

— O Renato Machado? O que é que eu fiz com o Renato Machado? Eu não elogiei?

— Aos murros. Você fazia um elogio — "aí, Renatão!" — e dava um murrozinho afetuoso nele. Acho que deve ter dado uns seis ou sete; você estava muito entusiasmado com ele. "Que pronúncia, que pronúncia!", dizia você. Até que ele se sentou e alegou nocaute e aí você parou.

— Mas é interessante, eu tenho a recordação completa de que sentamos direitinho, junto com o Ivan, a Dora e o Paulo César Saraceni e a Ana Maria, foi ou não foi?

— Mais ou menos. O Paulo César e a Ana Maria já estavam lá, ficaram sentados defronte da gente.

— Então? Lembro de tudo!

— E você ficava piscando o olho e jogando beijinhos para ela.

— Mentira! Na cara do Paulo César? Mentira! O Paulo César é meu amigo, eu jamais faria uma coisa dessas! Você quer solapar o meu relacionamento com os amigos! Mentira! Eu não faço essas coisas com ninguém, quanto mais com as mulheres de meus amigos!

— Mas é só isso que você faz. Agora, elas não ligam, eles também não. Afinal, quem é que vai ligar para um amigo que fica piscando um olho como se estivesse tendo um espasmo muscular, jogando beijinhos bicudos e escondendo a cara atrás do balde de gelo?

— Atrás do balde de gelo?

— Pois é, tenho a impressão de que você achava que assim disfarçava. Juntou gente em torno da mesa, para ver você disfarçando. Você se curvava todo, chamava "Aniiinha!", piscava o olho e mergulhava a cara atrás do balde ligeirinho.

— Que horror!

— Horror nada, foi tudo muito divertido, um sucesso. Tanto assim que você só parou quando chegou o Daniel Filho.

— O Daniel? Não! Eu chorei outra vez?

— Não, vocês dançaram.

— Nós dançamos?

— Dançaram e cantaram. Cantaram uma musiquinha em inglês que dizia *"wake up, wake up!"* e que vocês achavam engraçadíssima, embolavam de rir. Até que houve o incidente com o pessoal da casa, na hora em que você exigiu que evacuassem a pista para que o Daniel pudesse dar uma demonstração do passo Tom Mix.

— O passo Tom Mix?

— Sim, é um passo que ele dá sacando dois revólveres e rodopiando. É até interessante. Mas o pessoal não quis atender ao seu pedido, apesar de você gritar "jogo-lhe a Rede Globo em cima, canalha!". De qualquer forma, você conseguiu que o Daniel fizesse o passo no andar de cima e ainda imitasse Michael Jackson e Ney Matogrosso. A de Michael Jackson é até bastante boa, a do Ney...

— Disso eu me lembro, fiquei ali conversando com a Márcia enquanto ele dançava.

— Conversando não, ficou dizendo "Marcinha, você sabe que eu imito Ney Matogrosso muito melhor do que esse cara aí com quem você vive saindo e sou melhor diretor de televisão que ele e tenho um telão maior do que ele e..."

— Ele se aborreceu?

— Claro que não, inclusive ele sabe que você não imita lhufas e não tem telão nenhum.

— Nem sou diretor de tevê.

— Ah, isso não sei. Não foi isso o que você falou à Danuza Leão. Você disse a ela que estava realizando um especial sobre ela de duas horas e depois gritou: "Quero arrojar-me a teus pés!"

— E me arrojei?

— Quase. Ivan segurou você e a Danuza deu uns passinhos rápidos para trás, não houve maiores problemas e já estávamos mesmo na saída.

— Nunca mais eu saio, nunca mais boto os pés fora de casa, nunca mais entro num bar, nunca mais!

— Sim, querido. Mas não sei por quê. Todo mundo acha você o rei da noite, querido.

Moral Elevado

SEGUNDA-FEIRA, NATURALMENTE, ABANDONAREI de vez o cigarro. Envergonho-me em revelar que deve ser a qüinquagésima segunda-feira de uma série em que sairei de casa com o peito erguido e o olhar confiante dos bravos e fortes de vontade — eis que fumo em jejum a partir de umas cinco da manhã e já eram quase seis sem eu ter tocado em cigarro — e, depois de tomar um cafezinho no armazém de Inocêncio (Inocêncio não me cobra o café; mirem-se nesse exemplo, senhores proprietários de bares e restaurantes, notadamente os primeiros), começarei a vagar, o olhar agora desvairado e aflito, mastigando um graveto e parecendo personagem de filme tipo tornei-me um ébrio. Mas resistirei, desta vez vamos. Resolvo que ir trabalhar logo é a solução. Chego ao escritório, ligo o processador, o miserável do monitor resolve ficar piscando como letreiro de néon outra vez. Vou ter que abri-lo e futucar um negócio que tem dentro dele, que não sei o que é, mas, quando recebe uns piparotes rigorosos, faz retornar o engraçadinho ao normal.

Mas ali pode dar um choque de uns 10 mil volts, mesmo com ele desligado, e aí o risco não justificaria um cigarrinho para aplacar o natural nervosismo?

Não, não, difícil conceber desculpa mais esmolambada (os piparotes são dados com uma canetona de plástico e eu vou de sola de borracha, sem tocar em nada mais). Até o Sérgio Cabral, que vai entrar no *Guinness* como deixador de fumar, ficaria envergonhado dessa. Não senhor, nada disso, o conserto vai sem anestesia mesmo. Milagrosamente, dá certo outra vez, ele fica até parecendo monitor de cinema americano, todo reluzente. Aí vou trabalhar. "Qüinquagésimo" tem trema? Claro que tem, mas trema, como quase tudo mais, é meu *pons asinorum* e aí manda a neurose que eu pegue o *Aurélio* aqui atrás. Desde o tempo em que eu trabalhava em redação, isso significava uma pequena rotina coreográfica, cujo primeiro passo era acender um cigarrinho. Passo a mão automaticamente no lugar onde até ontem deixava a carteira de cigarros, não encontro nada, perco a vontade de abrir o dicionário.

Mas vamos em frente e de repente emperra tudo na cabeça e, sem me lembrar como, já saí da mesa de trabalho e estou no jardinzinho ao lado, com o mesmo ar que assumira no mercado. Que diabo estava escrevendo, não dava nem para entender direito, quanto mais prosseguir. Bartola, que está trabalhando lá dentro no atendimento, guarda uma carteirinha de cigarros na gaveta. Um só, um só, para quem fumava duas, três carteiras por dia, um cigarrinho só não tem a mínima importância. Mas é chato, já anunciei solenemente a Bartola que nunca mais tocaria nessa coisa imunda, vou me desmoralizar outra vez. Dou uma espiada, Bartola não está na mesa. Não! Furto não, não descerei a esse ponto! Repreendo-me com energia, embora lembre que até bagana eu já peguei, só faltando rastejar pela sarjeta. Nada disso, caráter é caráter!

Claro que caráter é caráter. Por isso mesmo eu, que não tenho nenhum, volto para defronte do processador outra vez e miro imbecilmente aquele texto besta, pensando em cigarro. Quase não consigo ler. Bato umas duas bobagens, não sei mais o que dizer e, cinco minutos mais tarde, com a cara mais cínica que posso fazer, estou junto a Bartola, pedindo um cigarrinho, um cigarrinho só. Algum tempo depois acabo o trabalho, à frente de um cinzeiro cheio, devendo uma carteira de cigarros a Bartola e com vontade de telefonar para o Cabral e pedir uma palavra de alento, nos intervalos da tosse dele. (Partilhamos do mesmo quarto durante a Copa do Mundo e de vez em quando, no meio da noite, eu acordava com a tossezinha dele, pensando que era *un otro temblor de tierra*, se bem que às vezes não era bem tosse, o Cabral é um homem de metabolismo muito vigoroso.)

Mas desta vez vai ser sério. Lembro o exemplo edificante do festejado cineasta e meu particular amigo Arnaldo Jabor, que acordou um dia assim meio retado, resolveu que não fumava mais e ficou com a carteira defronte só para poder curtir com a cara dela e nunca mais fumou e hoje está cada dia mais belo, é um atleta em todos os campos, os olhos ficaram azul-celeste e ele acertou uma quadra na loto. E, apesar de com essa conversa meio furada de que a vida começa aos 40, eu só estar nos meus verdes seis aninhos, lembrei também, não sei por que associação, da Grécia antiga.

Se eu fosse grego antigo, que bela ruína. Isto se não tivesse morrido de raiz de dente inflamada, difteria, saturnismo, sarampo, gastrenterite etc. etc. etc. Míope como uma toupeira, astigmata e com vista cansada, seria provavelmente conhecido como o Ceguinho da Ilha, tendo que ler através dos olhos de um escravo (isso também se eu desse sorte de não haver nascido escravo) e de noite não poderia nem sair, mesmo com lua. Sem um dente na boca ou então com todos aos cacos, teria deficiências nutricionais por não poder comer direito, além de não poder sentar ou talvez andar por causa do cisto que tirei atrás, em operação que me deixou sete dias no hospital. Não é à toa que dizem que, quando Sócrates fez 40 anos, ficou com vontade de morrer.

Sim, antibióticos, dentistas, cirurgiões, óculos, vacinas, a barra melhorou. Mas, não sei por quê, fiquei achando que eu era aquele grego antigo, apenas recauchutado. Até algum tempo atrás, eu, como todo jovem, era imortal, quem morria eram os outros. Agora que sou coroa, já passei até a fase do enfarte, durante a qual sofria uns quatro ou cinco por dia. Não, não, ainda fico cometendo esta estupidez, enfiando como um celerado fumaça venenosa e quente por uma traquéia que a esta altura deve parecer, porque é o que sinto, uma espécie de lamaçal nicotinoso ulcerado? Quer dizer, quebram o galho do grego antigo por fora, e eu trato de ficar igualzinho a ele por dentro, com admirável tenacidade.

Não senhor, esta segunda-feira é à vera. Tive até a felicidade de receber estimulante amparo médico, da parte do dr. Alcy, que encontrei no Largo da Quitanda. Ele não fuma, e quando soube da minha decisão e do estado de minhas vias respiratórias, fez uma pequena palestra científica.

— Melhor isso do que o que vai acontecer com você daqui a uns dois ou três anos, se não deixar — concluiu ele.

— O que é que vai acontecer comigo daqui a dois ou três anos, se eu não deixar?

— Morrer — disse ele, batendo afavelmente no meu ombro.

Quando cheguei em casa, chamei a mulher.

— Mulher, segunda-feira não fumo mais! Eu posso até jogar este isqueiro fora, porque hoje é domingo, só falta um dia e o gesto já tem lá seu valor simbólico.

Dramaticamente, lancei o isqueiro contra a mangueira, mas ela correu atrás dele, pegou-o e levou-o lá para dentro, colocando-o numa gaveta.

— Não se preocupe, querido — disse ela. — Terça-feira, quando você procurar, já sabe onde está.

Traumas Carnavalescos

TENHO UMA AMIGA que diz que todos os nossos problemas são por causa de traumas de infância. Estou inclinado a acreditar que é verdade, porque meus problemas com o carnaval só podem ser causados pelo trauma que passei em meu primeiro baile infantil, enfrentado quando eu morava em Aracaju. Fui fantasiado de pierrô: roupa de cetim azul, borlas cor-de-rosa no lugar dos botões, um chapéu cônico com uma outra borla no topo, duas rodelas de ruge na cara, batom e pó-de-arroz. Cheguei a suspeitar que minha mãe preferia que eu tivesse nascido menina e, se pudesse, me fantasiaria de colombina. O fato é que eu não queria entrar no baile e me transformei, para o resto da vida, num carnavalesco singular, pois gosto do carnaval na teoria e sou contra na prática.

Para não falar que, além disso, sofri diversos outros traumas, alguns dos quais já na adolescência ou mesmo depois de adulto, reforçando meu sentimento de anormalidade por não entrar na folia. Fiz de tudo para entrar, mas não deu certo. Já frangote, por exemplo, combinei um truque com um amigo que também padecia do mesmo mal, companheiro de infortúnio momesco e mulheresco. Naquele tempo dos bailes, quando o sujeito ia sem companhia feminina, entrava no salão e saía pulando, às vezes com uma toalhinha pendurada no pescoço para cheirar lança-perfume. De repente, via uma moça também sozinha, estendia os braços para a frente e para o alto na direção dela e a moça vinha brincar com ele.

Moleza, decidimos nós dois, depois de passarmos umas duas horas observando o panorama da festa. Dava certo com todo mundo. Eu só não tinha a toalhinha, mas diversos destoalhados também apanhavam as moças, de maneira que não podíamos dizer que nos faltava equipamento essencial. Acompanhamos as manobras de vários apanhadores de moças e chegamos à conclusão de que a técnica não tinha segredos. Braços estendidos, sorriso nos lábios, pulinhos no ritmo da marchinha sendo tocada, ar confiante e moça no papo. E aí, depois de rondarmos o salão fazendo força para afetar familiaridade e mesmo indiferença diante do fuzuê geral, decidimos entrar na luta.

Ah, meus amigos, botem trauma de adolescente nisso. De meu posto de observação junto ao salão, podia ver algumas moças bem aproveitáveis, apesar de as melhores já estarem tomadas, que deveriam ser presas fáceis para foliões dando sopa. Fui realista e escolhi uma dentucinha de óculos. Era bem capaz de ela também ter trauma e aceitar solidariedade em meus braços estendidos. Respirei fundo, andei para lá e para cá alguns minutos, para finalmente adentrar o salão. Ela estava do outro lado, o que me dava tempo para deixar de me sentir ridículo, pulando sozinho com um sorriso que, creio eu agora, devia parecer esculpido a faca. Não envergonhei a pátria, fui em frente com decisão e coragem. Eis que finalmente, a uma distância de dois metros, encarei a dentucinha, levantei os braços e esperei estar com a mão no ombro dela em poucos instantes. Mas, assim que ela me viu em pose de combate, me lançou um olhar de que até hoje não gosto de lembrar e deu uma meia-volta fulminante. Claro, ninguém mais reparou em nada, mas eu me achei desmoralizado permanentemente, o que se confirmou com várias outras, até que desisti. Até hoje não estendo os braços para ninguém, há um limite para a rejeição, mesmo depois dos sessenta.

Mas o pior trauma foi o que acho que já contei aqui, faz algum tempo. Muita gente, contudo, não leu ou não lembra, de maneira que acho que posso contar de novo. Foi quando, depois de diversas outras tentativas, de blocos a batucadas, cedi a pressões e resolvi sair em Itaparica, na companhia de um primo meu, ambos vestidos de mulher. Era tanta minha vontade de ser carnavalesco que achei que, se me desse bem daquele jeito, ia entrar para um bloco de bonecas qualquer, destino é destino. E aí nos preparamos nós, envergando cada um uma máscara daquelas de pano e nariz vermelho que se usavam muito antigamente.

Devo confessar que, pouco tempo depois de zanzar pela ilha, pulando aqui e ali daquele jeito, achei que não tinha muita graça. Meu primo também, mas, tratando-se de um jovem com espírito prático e empreendedor, ele resolveu que, se assim não nos divertíamos, pelo menos podíamos tirar algum proveito da situação. E, claro, o primeiro que nos veio à mente foi faturar uma graninha, coisa muito comum entre os mascarados daquela época, lá na ilha. E nosso alvo era garantido: o avô de meu primo e meu tio-avô, que era rico, apesar de não muito reputado pela mão aberta, ou talvez por causa disso mesmo. De qualquer forma, o máximo de nossa ambição eram uns trocados que pelo menos recompensassem em parte nosso sacrifício em prol das tradições nacionais, nada que lhe arranhasse a fortuna.

Chegamos lá à casa dele, entramos falando com aquela vozinha fina de careta dos velhos tempos e fizemos uma porção de brincadeiras com todo mundo em casa, até chegarmos ao velho. Estava na hora de mexer com ele e, no fim, pedir um dinheirinho mixo qualquer. Ficamos junto a ele, dizendo não recordo que bobagens, até que ele me piscou um olho safado e, antes que eu pudesse fazer alguma coisa, enfiou a mão por baixo de minha saia. Pulei fora rapidamente.

— Que é isso, vô, sou eu! — exclamei, tirando a máscara.

— He-he-he — fez ele, sem sinal de arrependimento. — Quem não quer ser não tenta parecer!

E, mesmo depois de tudo esclarecido, recusou-se, alegando no momento se encontrar desprevenido, a nos dar um tostão. Carnaval, desengano.

A Qualidade de Vida Ataca novamente

Claro, eu sabia que não ia durar muito. Há bastante tempo minha qualidade de vida tem sido de baixíssimo nível e, como se sabe, é impossível sobreviver hoje em dia sem cuidar da qualidade de vida. Do contrário, o sujeito morre depois de ler as seções de saúde dos jornais, tamanho é o terrorismo que fazem em relação à qualidade de vida. Devia haver um aviso nessas seções, advertindo que sua leitura contumaz leva a todo tipo de doença imaginável. Eu, apesar das exigências de minha atividade jornalística, procuro evitá-las, mas não adianta porque os efeitos delas se alastram como fogo em mato seco, a começar pela própria família do sofrente.

Minha qualidade de vida, sou obrigado a reconhecer, está um lixo. Não caminho no calçadão, não jogo nem peteca, não freqüento academia e não sigo dieta. Pelo contrário, encaro tudo o que faz mal numa boa e soube que a Associação Brasileira de Fabricantes de Porcarias Variadas, de biscoitos recheados que enjoam até criança a doces de origem obscura, planeja me homenagear (aceito, mas quero minha parte em dinheiro, ou então em sorvete). Ou seja, minha qualidade de vida causa grande pena e preocupação entre meus amigos e a pressão começa a exercer seus efeitos — começo a convencer-me de que ninguém pode viver assim com esta minha péssima qualidade de vida, é necessário fazer alguma coisa urgente.

Entre as conseqüências de minha abominável qualidade de vida, a que mais chama a atenção é a barriga. Admito que, se mulher fosse, me perguntariam com alguma freqüência se eu já sabia se era menino ou menina. Mas, viciado nesta minha horrível qualidade de vida, decidi que não moveria uma palha para tirar a barriga. Em primeiro lugar, quem não gosta de mim com barriga não ia passar a gostar se eu a perdesse. Em segundo lugar, se perder a barriga me tornasse parecido com o Sean Connery, certamente valeria a pena. Mas eu vou ficar com a mesma cara de sempre e ainda arriscado a ouvir comentários do tipo "você está inteiraço!", o que todo mundo sabe que só se fala a velho coroca, querendo dizer que ele continua velho coroca, mas está para a aparência assim como uma uva inteiraça está para uma passa inteiraça. Já se fica humilhado com efusivos comentários de "você está bem, mas está muito bem", o que também só se diz a velho, ou ex-biriteiro. Inteiraço é demais, é um golpe muito duro de absorver.

Volto ao regime que já me prescreveram. É preferível evitar o sal. Conservas, nem pensar. Frituras são incogitáveis. Proteína animal, só um peitinho de frango ou um peixinho, com cuidado para o primeiro não estar entupido de hormônios afrescalhantes (daí a expressão "frango fresco" e a conseqüente "galinhas abatidas", pois, para as galinhas, deve ser meio frustrante só topar com frango fresco, elas só podem ficar muito abatidas com isso) e o segundo não ter mais mercúrio do que termômetro de rinoceronte. Doce, só se você for maluco. Além dos triglicerídeos, diabetes certa, principalmente com a ajuda da barriga grande.

E é tão bom comer capim, a qualidade de vida melhora tanto! Tenho amigos que encaram com a voracidade de um jumento pratarrazes de folhas exóticas, todas com o mesmo não-gosto. Eu mesmo já fiz isso e mal posso esperar o dia em que voltarei a comer tanto capim que talvez assuma a condição de ruminante depois de mais velho. Deve ser um barato, para o velhote, ficar num canto, ruminando umas boas horas seguidas, grande atividade para a terceira idade. E é tudo uma questão de reeducação alimentar, embora os reeducados que conheço me pareçam sempre ter um certo ar de cérebro lavado ou de quem passou por um campo da Revolução Cultural na China.

E, finalmente, como se sabe, nada disso adianta coisa alguma para a qualidade de vida se não for acompanhado escrupulosamente por um programa de atividade física. Mas que tipo? Já tive bicicleta ergométrica, mas nossas desavenças nunca foram resolvidas, de maneira que a doei a alguém que não lembro agora, mas contra quem eu devia ter alguma coisa. Também tive esteira rolante, mas, ao contrário do presidente, prefiro ler a andar na esteira e me sentia sempre um daqueles hamsters que criam em gaiolinhas giratórias, nas quais eles andam sem nunca chegar a lugar algum. E já freqüentei brevemente uma academia, mas todo mundo nela me intimidava e comecei a ter pesadelos com máquinas de tortura, de forma que desisti.

Não, meu destino é o calçadão. Só falta ele para completar minha qualidade de vida. Minhas tentativas anteriores foram com certeza prejudicadas pela má vontade e pelas vicissitudes enfrentadas, a maior das quais era o capenguinha, que doravante passarei a ignorar e caminharei altivamente, no meu próprio ritmo quelônio. Já devia ter começado, como estava previsto, na segunda-feira passada. Não comecei. Criei um apego mórbido à minha terrível qualidade de vida atual e me sinto bem melhor, embora saiba que falsamente, sentado aqui, escrevendo ou lendo um livro, do que andando no calçadão. Não, chega de ser anormal, chega de ouvir sermões dos médicos e advertências apocalípticas da família.

Agora meu fim será diferente. Com a atual horrível qualidade de vida que enfrento, viverei aí mais uns quinze anos, tendo alguma sorte. Melhorando minha qualidade de vida, posso viver muito mais, entregando-me aos prazeres de almoçar alface, rúcula, cenoura, tomate e outros vegetais, prolongando uma existência que poderia ter sido estragada por feijoadas, macarronadas, vatapás, sorvetes e pudins, além de diversões doentiamente sedentárias. Segunda-feira, sem falta, capim e calçadão. Felizmente eu minto um pouco, às vezes.

Em Defesa do Padrão Nacional

NÃO ENTENDO NADA de mulher, claro. Aliás, ninguém entende, nem mesmo Freud, que, num momento de aparente exasperação, perguntou o que as mulheres querem e morreu sem saber. Por sobre isso, mister se faz ressalvar que as considerações a seguir são feitas apenas por um amador, esforçadíssimo mas jamais um craque junto a elas, não contando com a experiência de certos amigos meus (alguns já finados, devem ter morrido disso), muito mais afeitos ao convívio com o afamado Eterno Feminino. Para parco consolo nosso, creio que minha condição é partilhada pela maioria dos cada vez mais perplexos machos da espécie. Somos mais ou menos como torcedores de futebol — temos teorias que julgamos irretorquíveis, mas bem poucos somos bons de bola.

Sou provocado a aventurar-me em terreno tão resvaladiço por causa das notícias, cada vez mais freqüentes, de moças que, na busca de atingir o padrão de beleza vigente, caem vítimas de anorexia nervosa e morrem. Ninguém gosta de saber desses acontecimentos tristes, motivados pela ânsia de identificação com o modelo hegemônico ou, mais patético ainda, pelo afã de ter sucesso numa carreira equivocadamente julgada fácil, mas dificílima e penosíssima, onde um número enorme de jovens se perde todos os anos. Mas, claro, só aparecem as lindas e bem-sucedidas, cuja vida para suas admiradoras é um mar de rosas de festas e glamour.

E que padrão de beleza é esse, será mesmo o padrão, digamos, "natural", será de fato o preferido por homens e mulheres que não estão comprometidos com o conhecido "Barbie look"? Quanto às mulheres, massacradas sem clemência por gostosas irretocáveis (na verdade retocadas pelo Photoshop), que não têm uma manchinha na pele, uma estriazinha escondida, uma celulitezinha e ostentam dotes de uma perfeição na verdade fictícia, não posso falar muito. Mas quanto aos homens posso, porque ouço a opinião de muitos deles, e não só saudosistas do modelo violão (em inglês "hourglass look", aparência de ampulheta), mas jovens também.

Em primeiro lugar, devo afirmar enfaticamente, não por demagogia ou qualquer interesse subalterno, mas em função de uma permanente pesquisa sociológica informal, existe vasto e devotado mercado para as gordinhas e até para as mais gordinhas do que as gordinhas. Meu querido e finado amigo Zé de Honorina deplorava a "falta de carne" da atualidade e a ausência de cintura que parece ser causada pela malhação contemporânea e admirava com sincero fervor estético certas enxúndias bem colocadas, em moças e senhoras que passavam pelo largo da Quitanda, onde fazíamos ponto. Eu mesmo tenho uma comadre gordinha, casada há décadas com um marido amantíssimo que a conheceu bem gordinha e fica indignado quando ela perde um quilinho.

Fatores culturais também interferem nisso. Se apreciamos uma calipígia (da bunda bela), as fronteiras com a esteatopígica (da bunda gordinha) são tênues e a rapaziada do boteco qualifica de divinal o que as americanas, que, para começo de conversa, não têm bunda nem para pensar em concorrer com a brasileira e, portanto, tendem a desdenhar o que não podem alcançar, consideram gorda. Mulher tem que ter cintura, violão ou ampulheta não interessa, mas é vital a formosa concavidade entre as costelas e as ancas. Creio mesmo que, consultada a opinião pública, tanto de homens como de mulheres, mesmo as descinturadas por uma malhação perversa, a maioria concordaria em que mulher tem que ter cintura, faz parte da figura feminina, é clássico, é até constituinte do doce mistério das mulheres. E há muitas gordinhas, sim senhor, mantidas no modelo violão. Está bem, violoncelo, mas com a cintura no lugar. E sei que as descinturadas, conscientemente ou não, também sabem disso, porque noto, entre as muito fotografadas, que elas procuram sempre posar curvando os quadris para um lado, fingindo ainda ter a cintura insensatamente perdida.

Agora, para alegria dos violonófilos e cinturistas, chega evidência científica de que o padrão esquelético ou Barbie nunca esteve com nada, não deverá estar com nada no futuro e só está com alguma coisa no presente devido a interesses de mercado circunstanciais. Diz aqui numa revista científica que o dr. indiano Devendra Singh, da Universidade do Texas, chefiando uma equipe que analisou centenas de milhares de textos literários ocidentais, onde eles refletiam as preferências estéticas de suas épocas, chegou à conclusão de que a cintura, notadamente a cintura fina, sempre foi elogiadíssima nas mulheres e tida como um elemento básico em sua beleza. Mais ainda, o dr. Singh estudou detidamente os dois grandes épicos indianos *Mahabharata* e *Ramayana*, além de poesia chinesa clássica, e as referências à beleza das mulheres com cintura fina são inúmeras.

A tal ponto chegaram as pesquisas do dr. Singh, também diz aqui na revista, que sua conclusão é de que o cérebro humano é naturalmente programado (*wired*) para considerar a cintura, principalmente a fina, como parte essencial da beleza feminina. E, mais ainda, não se trataria de algo arbitrário na evolução da espécie, mas relacionado com a saúde. As que têm cintura — a-ha! — têm mais saúde. Isto sem dúvida abre horizontes quiçá radiosos para muitos de nós, homens ou mulheres, hoje escravizados pelo pensamento único imposto por estetas de meia-tigela. Os modernos somos nós, os violonófilos; as antiquadas são as Barbies. Espero que o país se una em torno do restabelecimento do legítimo padrão nacional e que a mulher brasileira, pioneira natural solertemente desviada por uma falsa modernidade colonizada, reassuma sua estatuesca e inimitável majestade de Vênus tropical, das cheinhas às magrinhas, todas com cintura e bunda, o Criador seja louvado.

A Renovação num Boteco do Leblon

— Bem já falavam os antigos, o que passa devagar é o dia, o ano passa depressa. Num instante, hein, cara, lá se foi essa desgraça, já foi tarde.

— Pra mim, não. Quer dizer, o ano não teve nada para comemorar, mas é sempre mais um ano que vai embora, não é? Na nossa idade, isso já começa a pesar, o cara fica matutando, fazendo conta... Tu faz conta?

— Faz conta, como? Conta dos anos? Claro, eu vou contando os anos, é normal, todo mundo sabe quantos anos tem. Pode até negar, como você, mas sabe.

— Não é isso, cara, eu não estou me referindo aos anos que a gente tem e, aliás, eu não nego a idade, quem nega é você, mas deixa isso pra lá. O que eu estou falando é nos anos que ainda restam, os que vêm pela frente, sacou? Tu faz conta dos anos que ainda deve ter pela frente, mais ou menos?

— Ah, eu não. Quer dizer, às vezes. Às vezes eu penso assim... Mas é tudo muito aleatório. Vê o caso do Caldeira, tu manja bem o Caldeira, todo mundo manja, sempre de calção, peito cabeludo de fora, nada de cigarro, nada de birita, nada de perder noite, comida quase que somente capim, mais saúde do que a zaga da seleção da Nigéria e aí o que é que aconteceu? Sentiu uma pontadazinha na barriga, foi no médico, o médico mandou ele fazer uma cacetada de exames tipo Nasa e aí falou que nem precisava abrir, já estava tudo lá dentro tomado, negócio pra no máximo mais dois meses. Petê, saudações, como se dizia no tempo do telegrama. Não deu outra. Tu tem visto ele?

— Não, ele...

— Claro que não, pra ver tu tem de ir no São João Batista, corredor dos não-fumantes, ala natureba, quadra da lei seca, superquadra da aeróbica. É lá que ele está. Quer dizer, não dá pra prever, ficar minhocando esses troços, tu pode levar bala perdida, pode ser atropelado, pode ter uma porrada de coisas, quem está vivo está morto, não adianta pensar, só dá estresse.

— É, eu sei, mas a gente não comanda os pensamentos, eles pintam sem autorização. Eu fico pensando assim que, descontando essas possibilidades que tu disse, mais ou menos dentro da chamada normalidade, eu faço as contas e aí penso que, com alguma sorte, emplaco mais uns quinze, né não? É, mais uns quinze está de bom tamanho. Com muita sorte, mas muita sorte mesmo, mais vinte, daí não pode passar. Tu lê obituário?

— Taí, obituário eu leio. Leio e observo sempre a idade dos caras. Tem dias que é todo mundo na faixa dos oitentinha, são os melhores dias. Mas tem uns infartos com 50, 55, umas tais "prolongadas doenças" que todo mundo sabe quais são, tem umas coisas assim, o melhor seria não ler merda de obituário nenhum. Mas é vício, peguei o vício e agora é uma desgraça, vou em cima direto, leio eles antes de saber qual é a manchete.

— Eu também leio, cara, também sou viciado. É isso e as contas, não tem jeito. Eu não quero, mas faço essas contas todo dia, quase toda hora.

— Pô, não fala mais nesse troço, que eu também já estou aqui querendo entrar nessa de fazer conta, isso não tá com nada, cara, vamos parar com isso, é ano novo! Lembra o ditado: ano novo, vida nova! É isso aí, vida nova!

— Isso tu repete sem notar que é besteira. Não tem nada de novo, está tudo ficando mais velho, nós e o mundo, tudo mais velho.

— Eu tou falando no sentido filosófico, tua grossura nata não te permite penetrar no sentido filosófico. E no sentido prático também, de um pólo a outro. A renovação é um fato. Tu já soube da última moda em matéria de cirurgia plástica? Nos Estados Unidos, está uma verdadeira febre.

— Pode estar, mas não na frente do Brasil. Nesse ponto, o Brasil sempre esteve muito bem.

— Não na parte a que eu vou me referir. Agora a moda é operação plástica vaginal, meu amigo, é isso aí. Quer mais renovação do que isso?

— Plástica vaginal? Mas para corrigir defeitos de anatomia, essas coisas, né não? É cirurgia corretiva.

— Nada disso, cirurgia estética! É a evolução natural. Primeiro foram os pêlos, tu sabe que o pentelheiro é hoje um especialista importante, ou não sabe? Já estão até propondo um nome mais respeitável, vai ver regulamentam a profissão. O nome é "pectineocista", chique, não é? É outro ponto em que o Brasil está na vanguarda, tem até um corte chamado Brazilian, isto aqui não é só Santos Dumont, não, cara. Nós hoje dispomos de grandes profissionais.

— É, isso eu acompanho mais ou menos nas revistas.

— Pois é, tem o Brazilian, tem aquele que parece cabelo de índio seminole, tem o bigodinho do Hitler, tem o coração, tem muita criatividade. E agora eles vão mais fundo, já é especialidade médica, pode esperar que vai pegar aqui e vai ser já este ano. E tu ainda acha que não há renovação? Já imaginou?

— É, vai ter modelos, vai ter gente querendo uma igual à da fulana...

— Claro, o céu é o limite! Eu não manjo muito, a não ser como amador fanático, mas fico imaginando que pode pintar tudo. Siliconada, lipoaspirada, repuxadinha, com botox... Hein, com botox deve ter uns efeitos colaterais interessantes, tá sentindo aonde eu quero chegar? A paciente, ali meio derrubadinha, toma uma aplicada de botox, sai da frente! E tu não vê renovação? Tu é muito derrotista, essa área vai trazer novidades sensacionais em 2005. O Homem tem toda a razão, será um grande ano. A brasileira é uma grande mulher, vai encarar essa com brilhantismo. E, com os craques da plástica que nós temos, aí mesmo é que vamos atingir o sonho de grande potência, sacou? Se não dá de um jeito, dá de outro, o bonde da História é que nós não vamos perder.

A Crise *by Night*

DE VEZ EM quando a gente lê no jornal um camarada declarando qualquer coisa como "a palavra crise não existe no meu dicionário". Acho isso admirável, admirabilíssimo, porque se trata de um talento que a Providência me negou de forma absoluta, não me deu nem um micrograma. Deu-me, contudo, a freqüente oportunidade de ler afirmações como essa e me dadivou também um número certamente excessivo de amigos que tampouco acreditam na crise. Um deles me convidou para sair, no sábado passado (eu novamente de cigarro e solenemente ignorado por todas as minhas ídolas), tomar uns drinques, jantar e bater um papo com o pessoal. Sentado diante de um pavoroso livrão que insensatamente resolvi escrever e que já me deixa zonzo com personagens e cronologias, achei que era bom alívio. Um dos personagens — um tal cônego que em má hora incluí nos convidados de um passeio — não cala a boca há 40 laudas, está ficando cada vez mais difícil aturá-lo. Mas há um senão: exatamente a mania de ficar escrevendo sobre o cônego e mais outros sujeitos desinteressantes, em vez de ganhar a vida honestamente abrindo por exemplo uma empresa de caderneta de poupança, preclude o meu comprometimento com desembolsos mais elevados, notadamente na rubrica entretenimento/pifão, já que meu *cash-flow* não é dos mais famosos. Em outras palavras, estou sempre duro. Fiz ver esta circunstância ao meu amigo.

— Ah, eu também! — respondeu ele alegremente. — Primeiro, nós passamos no Antônio's!

— Não compreendi. Eu duro, você duro...

— Ao Antônio's!

Concordei. Tenho muita confiança nos amigos. Contudo, ao marchar pela rua abaixo, não podia deixar de estremecer, lembrando do dia em que, para mais um papo com um editor alemão (que, por sinal, ainda não editou nada), dei uma de *noblesse oblige* e o convidei para encontrar-me no Antônio's. Enquanto eu, com prudência e frugalidade, alegava problemas estomacais e traçava prolongadamente uma garrafinha (acabei tomando duas) de água tônica, meu convidado pegou uns três runs com coca-cola. Na saída, aquela presepada toda: não senhor, eu pago, deixe comigo! Como nas piadas, o brasileiro venceu: paguei a conta. Cheguei em casa pálido, tive de tomar um daqueles calmantes homeopáticos para palpitações. E agora, como seria?

Terminei não descobrindo, não dá para perceber. A noite chegou festiva ao bar, ele se desvencilhou das contas como um mago e, cercado por um cortejo sorridente e amabilíssimo de garçons e manobristas, acenou-me para acompanhá-lo a seu carrão. Dentro do carro, vi-o dobrar um bolo de notas e pô-lo no bolso, murmurando "é sempre bom ter um trocadinho". Como? Como podia ser aquilo, se poucos momentos antes ele revirava os bolsos para me mostrar como estava ainda em pior situação do que eu? Que milagre era aquele?

— É o troco — respondeu ele, arrancando com brio. — Ao Florentino!

Não perguntei mais nada. No Florentino, pediu "minha garrafa aí!", congregou novo grupo de amigos à mesa, apalavrou duas casas em Búzios, analisou o socialismo moreno e convidou uma moça para "uma volta em Nova Iorque uma hora dessas, nesta época do ano está uma beleza". Com a noite cada vez mais florida e animada, ele me perguntou se eu não queria jantar.

— Jantar? Sim, é uma boa. Aqui? Eu...

— Ao Hippopotamus!

— Mas...

Pegando mais um pouco de troco no caixa, ele chegou rapidamente ao Hippopotamus. Um leão de chácara (lá pode ser que seja *country-house lion*, mas é a mesma coisa) sorriu reluzentemente, abriu a porta, ele entrou, deu um beijinho na moça da recepção, perguntou com exuberância:

— Tudo bem, meu amor? Minha mesa?

A mesa dele estava lá, sim senhor, o *maître* veio conversar, sugeriu um pratinho especial (quanto aos drinques, já estávamos tomando uísque da garrafa dele, que chegou antes de nós à mesa). Depois de consultar-me com grande fidalguia, ele deu algumas instruções adicionais ao *maître*, garantiu-me que eu iria gostar muito daquele prato, dedicou o resto da noite a conversar e a acenar para praticamente todo mundo que passava: tudo bem aí, querida? como vai, meu bem? beijos, beijos! Saímos já bem tarde, ele com a alegria do poder e do reconhecimento social, eu com o contentamento recatado que nos traz a boca-livre. Como estava com sono, temi que ele desse novo brado de guerra, quisesse fretar um jatinho para dar um pulo ao Maxim's ou qualquer coisa assim. Mas ele também tinha ficado com sono.

— Bom, agora vamos encerrar — disse ele. — Amanhã tenho de trabalhar.

— Mas amanhã é domingo.

— E o que é que você pensa? Você pensa que eu tenho folga? Eu trabalho no domingo também e assim mesmo não dá! O dinheiro não chega para nada! Você sabe que eu fico imaginando onde é que nós vamos parar? Você veja nós dois: trabalhamos como um par de cavalos e só vivemos na pior! Está certo isto?

Não estava certo, claro. Entramos no carro, lembrei-me subitamente de um detalhe.

— Desta vez você esqueceu de pegar o troco.

— Ah, tudo bem — disse ele. — Aqui eu não pago.

Uma experiência como essa não pode deixar de ser inspiradora. Eu mal podia esperar a volta de minha mulher para introduzir a nova política da casa.

— Mulher! — falei, assim que ela chegou, na segunda-feira. — A palavra crise não existe no meu dicionário!

— Que tal bancarrota? — perguntou ela.

Aventuras Naturais

Uma vez o cineasta Geraldo Sarno, que é muito natural embora não pareça, me levou para almoçar num restaurante natural e saí de lá deprimido, levei dois dias para me recuperar. Quanto a ele, garantiu-me que adorava aquilo tudo, apesar de comer com o mesmo ar funéreo dos demais presentes. Pior do que essa experiência acabrunhante, só a que tive num restaurante macrobiótico de Salvador, ao qual concordei que me levassem num momento de insensatez e que me deixou abaladíssimo — aqueles mastigadores obstinados, aquela aura de expiação de pecados através de penitências alimentares, aquela atmosfera pálida e astênica.

Desconfiado, diria mesmo que intimidado, perguntei se não havia qualquer coisinha para beber e responderam que havia, claro que havia. Maravilhoso, que podia ser, então?

Dependia da minha preferência. Ah, sim, nesse caso, que sugeriam? Com revoltante cinismo, o falso amigo que me levou a esse lugar desfiou um rosário horripilante de possibilidades, a começar por suco de espinafre (que nunca vi, mas considero imoral por definição) e terminando por suco de beldroega, que não sei o que é mas tampouco soa como algo decente. Perguntei se não havia água, então, uma agüinha mineral. Mineral não, responderam com desdém, temos água descansada.

— Água descansada? Descansada?

— Sim, água descansada.

— E essa água descansada é diferente da água comum? Quer dizer que normalmente bebo água cansada? Isso é mau?

— De certa maneira, você bebe água cansada, sim, pode-se dizer isso. Água misturada com aditivos nocivos, talvez poluída, esterilizada através de meios violentos e antinaturais como a filtragem e a fervura.

— A daqui não é filtrada nem fervida?

— Claro que não. É água natural, de uma fonte límpida, que deixamos decantando em vasos de cerâmica especial. Descansando, portanto.

— Fantástica água. Será que eu posso beber um copo d'água geladinha?

— Geladinha não temos.

— Por quê? Gelar cansa a água?

— Não é natural beber água gelada, é outra violência que se comete contra o organismo. Além disso, o senhor não devia beber água às refeições, não é bom, talvez um chá, temos chás excelentes.

— De beldroega?

— Se o senhor quiser. Mas temos de tília, de...

— Não, não, esqueça, tudo bem, eu espero a comida.

Não sei por que resolvi esperar, devia ter fugido antes, inclusive porque, de outra ponta da sala, como um espectro ossudo, aparece um outro amigo meu, que por sinal não reconheci na mesma hora. Macilento, de uma cor parda indefinida, gestos fluidos, voz aflautada, cumprimentou-me festivamente. Que alegria eu lhe dava, aparecendo ali, vendo finalmente o caminho da saúde, da felicidade e da paz de espírito.

— Nunca tive tanta saúde — disse, com um sorriso de múmia.

— Você não está me achando bem?

— Hein? Sim, muito bem, está muito bem mesmo.

— Pois é — disse ele, os olhos muito protuberantes no rosto escaveirado. — Sinto-me uns 10 a 15 anos mais moço.

"Embora pareça uns 40 mais velho", pensei eu, mas não disse, até porque estava chegando a comida. Ao contrário do que acontece quando a comida chega em circunstâncias normais, ninguém esfregou as mãos, lambeu os beiços, sorriu ou lançou um olhar satisfeito sobre os pratos. Ao contrário, criou-se um clima contido e grave, piorado no meu caso pela dor nas costas que me dá sentar em almofadas no chão, o que também me deixa sem saber o que fazer com as pernas. Mas, de fato, a comida não mereceria outro tipo de recepção que não aquele velório.

— Que é isto aqui? — perguntei a um dos amigos, apontando uma massa de cor repelente e consistência suspeita.

— Isto é arroz, arroz integral. Receita da casa, os donos são gênios culinários.

— Com certeza, conseguem vender esse negócio e o pessoal ainda paga e agradece.

— Hein?

— Nada, não. Arroz, hein? Quem diria, assim à primeira vista eu pensei que era papa de alpiste com goma arábica.

— Ha-ha, mas é arroz. É uma delícia, experimente.

— Está certo. Acontecendo alguma coisa, avise à família.

— Hein, que tal? Hein? Não! Não!

— Não o quê? O que foi, eu estou pálido? Estou roxo?

— Não é isso, você não mastigou.

— Mastiguei, sim. Não havia muito o que mastigar, mas mastiguei.

— Nada disso, você tem de mastigar pelo menos 50 vezes.

— Cinqüenta vezes? É por isso que ninguém fala aqui, todo mundo contando as mastigadas?

— Não é preciso que sejam rigorosamente 50 mastigadas. Mas essa é a média para que você consiga liquidificar a comida na boca.

— Se é assim, então por que não passam tudo logo no liquidificador?

— Não, tem de ser feito na boca. Deve-se mastigar até a água.

— Cinqüenta vezes cada gole?

— Mais ou menos.

Na saída, com os maxilares destroncados e a sensação de que tinha comido vento moído, refugiei-me imediatamente num boteco da esquina, comi um sanduíche de pernil e jurei romper relações com o primeiro que me levasse à macrobiótica ou à naturalidade ou a qualquer coisa correlata. Mas o destino é irônico. Não é que minha filha Chica, que recentemente colheu a primeira flor no jardim de sua existência, com 13 quilos e físico de lutador de sumô, é metida a natural? Com essa idade, vejam vocês, já é toda natural, não come carne, é cheia de novidades. Altas preocupações na família, grandes leituras do dr. Spock e do dr. Delamare — essa menina precisa comer proteínas, carboidratos e lipídios.

Mas o preparo físico dela (se houvesse recorde infantil para levantamento de peso, essa medalha já estava no papo) demonstra que alguma coisa dá certo na dieta dela. Como será que ela obtém as tão faladas proteínas? A resposta, como outras grandes descobertas, veio por acaso. Aqui em Itaparica tivemos também uma praga de grilos, uma infestação generalizada, grilo por tudo quanto era canto. Em nossa casa, contudo, a infestação era mais moderada que em outros lugares. Por quê? Eis que, observando Chica brincando no chão, noto que ela pegou alguma coisa que pôs na boca.

— Que é isso aí na boca? Tire isso da boca!

Tarde demais. Mastigando com grande prazer gastronômico, Chica acabara de jantar um grilo ao primo cri-cri. Só consegui puxar uma perninha, já mastigadinha.

— Mulher! — gritei lá para dentro. — Chica comeu um grilo!

— São João Batista também comia — disse ela.

— Mas você acha certo esse negócio de Chica comer grilo?

— Não posso fazer nada, isso nem é a pior coisa que ela já comeu. Você quer saber o que eu já peguei ela comendo? Ela...

— Não, não diga, não diga, eu já sei!

Bem, é proteína, isso ninguém pode negar. Dobramos a vigilância, mas Chica consegue traçar uns dois grilos por dia, no mínimo. E a verdade é que tudo na vida pode ser visto por um ângulo favorável. Outro dia mesmo, quando Zé de Honorina estava lá em casa para tomar um cafezinho, observou que tínhamos bem menos grilos do que as outras casas da ilha.

— Que é que você faz, usa muito inseticida? — perguntou ele.

— Não. Nós usamos controle biológico — respondi, olhando para minha filha orgulhosamente.

Alpiste para as Rolinhas

SEI QUE ESTÁ bastante fora de voga faz algum tempo, mas sou dos que acreditam que, se fizemos uma promessa, devemos procurar cumpri-la. Prometi descrever o que esperava, com toda a honestidade, ser uma tarde empolgante, jogando alpiste para as rolinhas da rua Dias Ferreira, aqui no Leblon. Tenho pouquíssima experiência no assunto, mas, depois de décadas numa profissão em que saber observar é indispensável, não vou dizer que sou bom repórter, não sou nem repórter mediano, mas conheço uns dois macetes operosamente aprendidos ao longo do tempo, peruando o trabalho dos craques e fazendo perguntinhas importunas.

A responsabilidade aumentou consideravelmente quando minha promessa despertou interesse em algumas pessoas, todas quase ansiosas em colaborar com minha missão, em diversas condições possíveis, desde assessoria técnica ornitológica a jogar alpiste também. Fui obrigado a usar expedientes variáveis para evitar que isso acontecesse. Nos tempos em que vivemos, o evento ultrapassaria em muito minha capacidade jornalística, pois o mínimo que iria acontecer seria o surgimento de grupos usando camisetas com a inscrição "Rolinhas Contra A Violência" e a organização de uma passeata — aqui o pessoal é muito chegado a uma camiseta e uma passeata como via de ação política. E, não sei, algo não me soa bem em "rolinhas contra a violência" e suspeitaria de malícia em exortações quiçá inocentes, como "alimente uma rolinha hoje" ou "dê alpiste pra rolinha", vocês sabem como é cabeça suja nojenta de velho.

Cheguei a extremos, até. O irrepreensível escritor e meu particular amigo Rubem Fonseca me skypeou, neologismo pelo qual suplico perdão aos puristas, mas quer dizer conversar pelo computador através de um programa chamado Skype, indagando a hora e o local exatos em que se realizaria a distribuição de alpiste, porque ele, como de hábito embuçado, pretendia comparecer. (Sim, devo abrir estes parênteses para dizer que ele certamente não vai gostar, quando vir aqui que eu contei que ele tem Skype, mas nunca vou revelar o nome dele no sistema e, de qualquer forma, ele bloqueia qualquer um numa boa; querem ver, experimentem.) A presença dele é sempre bem-vinda em qualquer lugar e uma honra e alegria para mim, mas em tudo nesta vida há exceções e a distribuição de alpiste, receei, seria uma delas.

Vocês não sabem como é o Zé Rubem. Todo mundo pensa que sabe, mas não sabe. Eu o conheci (sorry, periferia) em Paris, faz muitos anos, e tenho certeza de que, no segundo dia em que saímos juntos, a gendarmerie já nos acompanhava a uma distância discreta. Ele apronta com a maior cara-de-pau e com certeza ia aparecer com a cabeça enterrada até os olhos num chapéu de pano e se apresentar a uns como Lúcio Mauro, a outros como Armando Nogueira e ainda a outros como um visitante húngaro incapaz de compreender ou falar uma só palavra em português com exceção de "banana". Não ia dar certo e, no meio do furdúncio assim criado, ele arrumaria uma namorada, proeza que executa com instantaneidade fulminante, e desapareceria, me deixando com o pepino, o abacaxi, o angu de caroço, a batata quente e o que mais possa metaforizar a confusão. E depois me skypearia novamente para dizer que eu me revelara péssimo dador de alpiste para rolinhas e, além do mais, meu computador é de quinta categoria.

Não, tinha que ser uma experiência solitária e tão bem planejada quanto possível. Mas eu não podia prever a mão implacável do destino, que se preparava para me ministrar uma lição de que há muito devo vir precisando. Cheguei à esquina onde costumava ver sempre multidões desses populares peristerídeos (claro que eu não conhecia esta palavra; catei-a no dicionário e desta vez dou uma folga do exercício dominical a que lhes exorto sempre, de pegar o dicionário, pois usar o dicionário do computador é considerado comportamento antiesportivo, eu mesmo nem ligo para o Aurélio e o Houaiss que tenho instalados aqui — e a folga é passar-lhes o conhecimento sem o qual vocês não vão compreender como viveram até agora, qual seja o de que esse é o nome da família das rolinhas) e não vi nenhum. Perguntei a um chaveiro que tem cabine perto, ele me disse que as rolinhas andavam sumidas.

Como, andavam sumidas assim sem mais nem menos? Era o que eu ouvira, estamos em falta de rolinhas. Ele tinha idéia da razão? Não, não tinha, de repente elas não mais abundam como abundavam. Disse então a ele que ia dar um jeito nisso. Ia voltar logo mais com alpiste para derramar no chão e atrair de volta as rolinhas, era um esporte radical adequado a meu preparo físico. Ele riu. Rolinha come alpiste, claro, mas não curte muito, eu provavelmente ficaria desmoralizado com meu alpiste. Não, esquecesse aquilo, as rolinhas tinham sumido mesmo, só pintava uma ou outra de vez em quando.

Fiquei pensando nas razões para o desaparecimento. Seriam as rolinhas nordestinas, agora deportadas de volta pela prefeitura? Descobriu-se que fumar rolinha moída dá mais barato do que chá de fita cassete? Terão armado algum esquema de lavagem de dinheiro envolvendo rolinhas? Mistério que certamente jamais desvendarei e, meio deprimido, confesso-lhes que fracassei. Não comprei o alpiste, não me enchi de adrenalina como esperava, não lhes fiz uma narrativa arrepiante. E, como antecipei, aprendi uma lição de humildade. Se dar alpiste a rolinha é difícil, muito mais será governar, ainda mais quando, como eu, não se tem experiência. Era a desculpa que faltava para eu mudar minhas posições. Quando será que vão passar a creditar meu mensalão?

Questões Cornológicas

SE VOCÊS ESTÃO pensando que trocaram uma letra aí em cima, esclareço que não trocaram. Não é "cronológicas", é "cornológicas" mesmo. Trata-se do que presumo ser um neologismo, para qualificar fenômenos ligados a cornos. Apesar de injusta fama em contrário, não sou dado a inventar palavras e perpetrei esta por achá-la necessária para sanar uma falha em nosso já indigente vocabulário. Bem verdade que sua etimologia, misturando latim com grego, haverá de alçar sobrolhos entre os filólogos, mas, se Auguste Comte pôde fazer a mesma coisa com "sociologia", creio que, transcorrido tanto tempo, um brasileiro já tem o mesmo direito, sem macular excessivamente a nossa luzente imagem no exterior ou expor-se a acusações de plágio e macaqueação.

A noção de corno, a começar pela própria palavra, ainda classificada como chula mas de emprego corriqueiro (e prático, ouso arriscar peraltamente) na melhor sociedade, vem sofrendo, como testemunhamos os mais velhos e jamais saberão os mais novos, enormes modificações em nossa cultura. Ainda se mata e bate bastante por motivos cornológicos no Brasil, mas a verdade é que se trata de prática cada vez mais démodé, politicamente incorretíssima e inconcebível para uma pessoa realmente moderna. Vem a calhar, se procurarmos não ser hipócritas, a reflexão que meu pranteado amigo Zé de Honorina expunha em Itaparica, ao perceber excessiva confiança ou negligência da parte de algum consorte: "De um bom corno ninguém neste mundo pode dizer que está livre."

Tanto assim que até mesmo no Nordeste, onde, quando eu era menino, chamar alguém de corno rendia invariavelmente peixeirada e provável absolvição do peixeirador por um júri popular, a maneira de encarar o tema mudou muito, tanto assim que há notícias de acalorados concursos de cornos em Pernambuco, além de clubes e outras entidades da categoria. Na praia do Forte, Bahia, onde estive faz alguns anos, me informaram, garantindo absoluta veracidade, sobre o disputadíssimo troféu Corno do Ano. Estavam até estudando uma reformulação do regulamento, para evitar problemas como o ocorrido no ano anterior, em que o irresignado segundo colocado fez um discurso de protesto, devolveu o diploma (o troféu principal é um chapéu com dois vistosos chifres de zebu a ornamentá-lo) e quase quebra tudo.

— Ele de fato era e ainda é um grande corno — me disse meu informante. — Não se pode negar valor a ele, é corno há muitos anos, tem uma grande tradição. Mas deu azar de pegar um concorrente imbatível, um coroa viúvo, pai de três filhos grandes, que casou com uma moça uns quarenta anos mais nova, que não só começou a dar corno nele com toda a vizinhança em menos de um mês como não poupou nem os três enteados, passou os três nas armas! Aí você tem de admitir que não tinha competidor à altura, é caso de Guinness. Este ano eu acho que vão criar um troféu especial pelo conjunto da obra, para ver se ele se consola, ele merece.

Contudo, o assunto é ainda sujeito a controvérsia. Nem todo mundo aceita essa mudança de costumes. Sei que somente eu leio essas coisas, mas li mesmo, como já noticiei aqui, que no Japão vendem (comercializam, aliás; hoje em dia ninguém vende mais nada, só comercializa) calcinhas e cuecas que ficam irremediavelmente manchadas de uma cor pouco discreta, se tocadas por algum vestígio de esperma. Além disso, há um produto, já esqueci se creme, loção ou outro, que, passado na pele, também a mancha, se o paciente tomar um banho ou lavar a parte do corpo sob fiscalização. Claro, no Brasil a roupa de baixo não funcionaria, porque as compatriotas dispostas (água morro abaixo, fogo morro acima e mulher quando quer dar ninguém segura — repetia também o grande Zé) a apor chifres nas testas de seus parceiros habituais teriam um estoque de calcinhas extras nas bolsas ou nas gavetas, assim como os homens guardariam estepes de cuecas nas pastas ou também nas gavetas do escritório. Quanto à lavação, não creio que tampouco houvesse problema, porque, como não se ignora, o brasileiro e a brasileira são muito limpinhos e uma indignada alegação de que "eu lavei, eu lavo sempre!" poderia bastar para explicar a mancha.

Agora, também li que cientistas da universidade americana de Emory, em Atlanta, descobriram um certo gene da fidelidade. Caminho aberto, ainda que presentemente remoto, para os cornófobos exigirem atestado de vacina de seus eleitos e o governo lançar o programa Corno Zero, certamente preferível, para a vasta maioria dos governados, à cornidão participativa que algum ideólogo poderia sugerir. Mas também receio que essa tentativa não dará certo. Além de, provavelmente, a vacina não dever fornecer proteção absoluta, a experiência indica que ela passaria a ser vendida em camelôs 80 por cento mais barata e sua versão paraguaia, além de dar ressaca, produziria uma quantidade insustentável de tocadores de harpas, e o Brasil não precisa de mais um problema sociocacofônico, entre os muitos que já enfrenta.

Não, receio que, apesar dos progressos científicos, o Ibama não precisará incluir o corno na lista de espécies ameaçadas. Ele faz parte da vida nacional. Outro dia mesmo, no boteco, um dos companheiros de mesa, vítima de memorável corneamento que, apesar de longínquo no tempo, ainda hoje é lembrado, lamentou que não se pode mais contar piada de português, piada de japonês, piada de negro, piada de homossexual, piada de anão, piada de médico, piada de nada. Mas piada de corno pode, queixou-se ele ressentido, todo mundo curte com a cara do corno. Por que tal injustiça? Isso o entristecia.

— Não fique assim — consolou-o uma das senhoras presentes.
— É simples, é porque não é minoria.

Zefa, Chegou o Inverno

Quando os *long-plays* eram alta novidade, lá em casa a gente tinha uma porção, porque meu pai sempre foi muito a favor do progresso, de maneira que não deixava passar nada e, ao chegar em casa com a novidade, ainda fazia uma conferência erudita sobre ela. Como uma, inesquecível, a respeito do liquidificador — novidade que, aliás, encarei com certa ambivalência, visto detestar banana e minha mãe ter passado a tacar vitamina de banana em toda criança que aparecesse na frente dela. Mas os *long-plays* não, os *long-plays* eram apreciadíssimos, notadamente se executados na eletrola de gabinete de meu pai, Standard Electric, último tipo, apresentando diversas características sensacionais, tais como não precisar nem dar corda nem mudar a agulha toda hora — era agulha de safira, tocava mais de cem discos sem trocar, coisa adiantadíssima mesmo. Tínhamos, inclusive, o disco de demonstração que eu executava para as visitas e, depois que elas saíam, minha mãe reclamava comigo por ser o mais exibido da família.

As sessões eram variadas. Meu pai não distingue uma nota de outra, nunca cantou nem assoviou na vida, é absolutamente atonal, mas sempre fez questão de cultura musical na casa, de forma que a gente se reunia muito compostamente à frente da eletrola e ele anunciava, tirando o *long-play* da capa:

— Schubert! Grande compositor. *Sinfonia Inacabada*. Bote aí que eu não sei mexer nessa estrovenga. Quem der um pio leva um tabefe.

A gente escutava com muita atenção, porque o velho nunca foi de prometer um tabefe sem dar o tabefe, o clima na casa era de grande harmonia. E também tínhamos sessões de música popular, algumas didáticas e com palestras — como o álbum de Noel Rosa gravado por Aracy de Almeida, ou discos franceses dos quais eu era obrigado a "tirar a letra". Isso me deixava nervoso, porque eu nunca tinha visto um francês na vida, mas meu pai me considerava perfeitamente equipado para morar em Paris, por causa de um livro chamado *Francês sem mestre*, que trazia a pronúncia transcrita entre parênteses — *aceiê-vu, levê-vu, qués-qui-cé?* Dava para ler, mas a primeira vez em que eu falei francês com um francês, ele pensou que era russo, até hoje tenho trauma disso. Bem, de qualquer forma, ele me chamava para a sessão de música francesa e o ritual era parecido, com a agravante da tirada da letra.

— Música francesa! Jean Sablon, Charles Trenet, Yvette Giraud, Edith Piaf, Patachou. Grandes cantores, grandes artistas. Silêncio aí. Bote Jean Sablon, aquela música que começa com o *ditemuá*. Você aí, pegue o lápis e tire a letra.

— *Dites-moi un mot gentil.*

— *Puisque je vous démande pardon.*

— *Oui je sais, je sais, chérie,*

— *Que vous avez toujours raison* — cantava Jean Sablon, mas só hoje é que eu sei que é assim, porque, na época, eu entendia tudo, embora com grande sacrifício, mas não pescava o *un mot*. Nervosíssimo, quase desesperado, inventei uma solução para enrolar o velho. Rezei um Padre-Nosso para Nosso Senhor me ajudar naquele transe, e Ele me ajudou. Expliquei para o velho que, como tinha lido na revista O Cruzeiro, Jean Sablon estivera no Rio de Janeiro e tinha dito que gostava muito do Brasil, que a mulher brasileira era a mais elegante do mundo, que Santos Dumont tinha inventado o avião etc. etc. E, por conseguinte, numa homenagem a alguma carioca, ele havia feito aquela música: "*Dites-moi, amor gentil*" — com esse "amor" aí em português. O velho desconfiou um pouco, acabou conformado.

— É, pode ser — disse. — Esses franceses são muito safados, vai ver que Sablon traçou lá uma carioca daquelas de perna de fora.

— Ele fez o quê, pai?

— Cale essa boca, não se ouse, vá lá para dentro!

Finalmente, tínhamos também os recitais de poesia com Floriano Faissal, Sadi Cabral e outros, tudo nos *long-plays*. O mais popular era o de Jorge de Lima, declamado por Sadi Cabral, que tinha "Essa Nega Fulô", que me dava umas idéias, "O Acendedor de Lampiões", que deixava meu pai de ânimo filosófico, e o *Zefa-chegou-o-inverno, formigas de asas e tanajuras...* Era tão lindo esse inverno do poeta que eu ficava chateado por estarmos no verão, queria participar daquelas coisas de tanajuras, cheiro de terra molhada, plantas brotando em toda parte.

Isto, naturalmente, antes de morar em Itaparica. Pois não é que me surpreendi, assim que roncou a primeira trovoada e o céu escureceu no meio da manhã, a recitar o *Zefa-chegou-o-inverno*?

— Zefa, chegou o inverno! — bradei, com os braços estendidos para as primeiras gotas.

— Que Zefa é essa aí? — veio perguntar minha mulher, que desconfia da minha veia poética.

— Nada, não — respondi. — Eis a chuva, a trovoada, o temporal, o invernão da ilha, que belez...

— Na cozinha tem uma goteira com a mesma vazão que Paulo Afonso — disse ela.

Como de fato. Não só na cozinha como na sala, como no corredor, como nos quartos... Na verdade, só se salvou o banheiro, um baluarte da segurança da família, todos flageladinhos ali, coitados, com o seu chefe prometendo solenemente que, na primeira estiada, iria providenciar o conserto do telhado. Pusemos um guarda-chuva em cima da televisão, juntamo-nos no canto seco da sala, fomos esquecer as mágoas ali aconchegados, era uma bela cena de convívio familiar. Até que umas coisas começaram a se mexer debaixo do lençol com que tínhamos coberto as cabeças.

— Que é isso, que é isso? Ai!

— Formigas de asas e tanajuras — disse minha mulher desdenhosamente. — Como é o resto do poema?

Vejam o que é a natureza. Das cerca de 800 milhões de formigas de asas e tanajuras que a água gera ao tocar em qualquer coisa, 750 milhões resolveram fazer assembléia geral aqui em casa, o bulício de suas asinhas diáfanas a musicar os ares, o colorido de seu elegante esvoaçar enfeitando a paisagem doméstica, tanajuras e formigas de asas suficientes para aterrar o aterro do Flamengo.

— Acho que estamos diante de um caso claro de necessidade de evacuar a casa imediatamente — disse minha mulher, que é paulista e costuma reiterar que é a locomotiva que arrasta os três vagões (eu e os dois meninos, desnaturada).

— Deixe de ser besta, mulher, onde já se viu, uma chuvinha à-toa dessas! Umas formiguinhas bobas, que é isso?

Tive de repetir o "que é isso", porque as luzes se apagaram.

— Que é isso?

— Blecaute — disse ela. — Medida sensata. Estamos sofrendo um ataque aéreo. Você já viu *Os Pássaros*? Que tal "As Tanajuras"? As tanajuras se rebelam e...

— Mulher, procure não baixar o moral da casa! É dever da esposa...

— ... botar todo mundo para dormir na mesma cama no banheiro — completou ela. — Em frente!

Durante toda a noite, em intranqüilo sono receando pela resistência do telhado do banheiro (que, por sinal, se houve galhardamente, é o melhor telhado de banheiro que já vi, faço um preço razoável, propostas aos cuidados desta publicação), mostrei àquela família de pouca fé como eram todos uns insensatos. Arturzinho Pedreiro, que já tinha feito o conserto do telhado quando ele quebrou por causa das pedras que os meninos jogavam na mangueira e garantido o conserto "pela vida toda" (me tomou vinte contos), iria cumprir a garantia, eu conhecia o povo da minha terra — um povo que já expulsou até os holandeses, um povo destes é graça?

Não, não é. Procurado nos cinco minutos em que não choveu na manhã seguinte, Arturzinho me deu um sorriso de desdém (aqui na ilha existe uma grande escola filosófica, fundada pelo meu primo Walter Ubaldo — a escola do Sorriso de Desdém, coisa de raízes fundas, vai até Diógenes —, e quem nunca enfrentou um dos discípulos do Sorriso de Desdém não sabe o que é a dureza da vida) e explicou que todas as casas da ilha estavam assim, é o inverno brabo.

— Como "inverno brabo"? Eu fui criado naquela casa e nunca vi essa goteirada toda. No meu tempo...

— Isto foi no seu tempo — respondeu ele, me aplicando outro Sorriso de Desdém e me olhando como se eu tivesse nascido nos albores da Era Cenozóica. — Hoje em dia, porém...

Voltei para casa meio chateado com Arturzinho, procurando a solidariedade da família. Não a obtive, fui alvo de chacotas, chistes, dichotes, epítetos, verrinas, apostrofações e debiques. Decidi reagir. Encolhi-me no canto seco da sala, que por sinal está diminuindo bastante, empreguei a energia requerida pela situação.

— Quem der um pio aí leva um tabefe!

— Sefa, cegou o inverno — disse meu filho Bento, que ainda não fez três anos. — O que é tabefe?

A harmonia familiar — *o tempora, o mores!* — já não é como a de antigamente.

— Será que ninguém pode passar aí o guarda-chuva um instantinho? — disse eu.

Num Boteco do Leblon

— Olha aí, ô Zé Mário, tu lavou bem esse copo? Tu tá sabendo que tem de dar lavagem dupla nesses copos, devia até ferver, os caras tão dizendo que o Aids também passa pela baba!

— Qual é baba, rapaz, tu tá por fora. O que pega pela baba é a epilepsia, todo mundo sabe disso. O Aids só pega nesse pessoal alegre aí, essa turma aí que... sabe como é, o contágio não é bem pelo copo, tu tá me entendendo, não é bem por aí, he-he!

— Aí é que tu demonstra tua ignorância. Tu conhece o dr. Carvalho? Tu conhece, ele vinha muito aqui, ultimamente é que não tem vindo, depois que a mulher dele internou ele numa clínica pelo problema do alcoolismo. Tu conhece ele, verdadeira sumidade, respeitado aqui e em todos os outros Estados, su-mi-da-de, pergunte a qualquer daqueles velhotes bêbados do Degrau, não tem um que ele não tenha curado a pancreatite, até o Lula Grande, que ficou paralítico de um porre de *Johnny Bull*, ele botou pra andar. Agora só tá bebendo água mineral e guaraná, é por isso que ele só pinta aqui de vez em quando, para se resguardar da nostalgia. Eu tive com ele no Bracarense, no dia em que o Flamengo perdeu, eu tomando um porre de vodca e ele de água mineral com gás, e tu sabe o que eu vi ele fazer na hora que o português botou o copo na frente dele? Ele tirou do bolso um pedacinho de algodão e um frasquinho parecendo desses de colírio, molhou o algodãozinho no líquido do frasquinho e esfregou pela beirada do copo toda, esfregou várias vezes com a maior meticulosidade.

— E o que era que tinha no frasquinho?

— Álcool, xará, álcool de farmácia. Eu falei: não tou sacando nada, doutor, será que o senhor não está esfregando esse álcool no copo para dar uma alegria aí na água mineral? Aí ele falou: deixa de ser otário, Lourival, acho bom tu também adotar o álcool na beirada do copo como eu, que a barra do Aids tá ficando pesada. Aí eu falei: mas, doutor, esse Aids não é uma transação que só dá em boneca, o cara que... ali... o cara que... justamente... não é?

— E ele falou que não?

— Ele falou duas coisas. Primeiramente ele falou que é verdade que dá mais em boneca, mas é só por enquanto e, além disso — aí é que você vê o raciocínio do homem que tem cultura, a pessoa tem de admirar —, ele falou o seguinte: meu caro Lourival, você é um homem que conhece a vida e vai concordar comigo no seguinte: quem parece é, e muitos que não parecem também são, a verdade é essa, tu sabe disso.

— Bom, isso é, isso é uma grande verdade.

— É uma grande verdade! Tem muito moleque safado por aí que não dá nenhuma bandeira! Tu conhece o Carlão?

— Que Carlão? O Carlão da Humberto de Campos, um que faz musculação ali na esquina da João Lira, o da motoca?

— Pois é, Carlão-Carlão, esse mesmo.

— Não! O Carlão? Não! Que é que você está me dizendo, cara, o Carlão... Agora, pensando bem, com aquela machidão toda, todo fortão, todo cabeludão nas costas... Agora que tu tá me falando, tu sabe que eu sempre desconfiei, pensando bem... O Carlão, quem diria... Mas ele não tá de Aids, ontem ele passou pelo Maré Mansa e tá com a mesma cara, não dá nenhuma pinta de Aids.

— Que é isso, cara, o Carlão não é nada disso, é meu amigo, conheço ele bem, nada disso.

— Ué, tu não falou que...

— Tu não esperou eu acabar de falar, que é isso, o Carlão não... Não, nada disso. É que o Carlão teve um problema com um travesti no carnaval passado.

— Ah, ele saiu com um travesti no carnaval, hein? Aí o travesti... É, cara, tem muita gente que toma bonde errado com esse negócio de travesti aí que... He-he! Quer dizer que o Carlão, como é que se diz, o Carlão foi buscar a lã e saiu atosquiado, não é assim que se diz? O travesti... he-he, vai ver que o Carlão bebeu demais, se distraiu... He-he!

— Não, cara, nada disso, foi um caso de engano, o Carlão não tava sabendo que o cara era travesti, era desses todos cheios de silicone, sabe como é, desses que se tu não prestar atenção tu dança, tá sabendo como é que é?

— Ah, essa não, quer dizer que o Carlão só foi descobrir depois que a desgraça já tava feita? Ah, qual é, Vavá, pra cima de mim? Ah, vai, conta outra, essa daí não cola.

— Tou falando sério, cara, eu conheço o Carlão! O problema não é nada disso, cara, deixa eu acabar de falar!

— Tá legal, vá falando, mas minha idéia é que essa história do Carlão tá muito mal contada.

— É o seguinte, ele descobriu que o cara era travesti, mas só depois que tinha dançado com o cara e tudo, tinha tomado assim umas intimidades, sabe como é carnaval. Eu vou lhe dizer uma coisa aqui confidencialmente, você vai me prometer que não conta isso pra ninguém, é uma questão de confiança, o Carlão é uma pessoa que me merece muito. É o seguinte — olhe aqui, se tu sair falando isso por aí, eu vou ter uma grande decepção com você, veja bem —, é o seguinte. Tou te falando isso até por uma questão de saúde pública, pode crer, o grilo do Carlão é um grilo sério, é o seguinte: teve um momento que o Carlão beijou o travesti, um momento em que ele não tava sacando qual era a do cara. Logo em seguida, ele sacou, tu tá sabendo como é beijo de carnaval, ele inclusive — eu conheço o Carlão, eu sei que é um rapaz de caráter, eu manjo ele assim como eu manjo você, tá sabendo? — partiu para dar uma bolacha no sem-vergonha, mas o cara sentiu a barra do choque do Carlão e se pirulitou na hora, sumiu no ar. O Carlão ficou desgostoso etc., passou a noite bochechando com conhaque etc., mas depois esqueceu, que na ocasião esse grilo do Aids não tinha pintado ainda, era uma transa que ninguém tava sabendo ainda. Mas agora...

— Mas não foi no carnaval? Se foi no carnaval já tem tempo, não tem nada a ver, se o Carlão tivesse de pegar a doença já tinha pegado.

— Aí é que tu tá errado outra vez! O dr. Carvalho me explicou, o cara pode estar contaminado uns cinco ou seis anos sem saber!

— Ih, cara, grilo grande!

— Pois é, você precisa ver o Carlão, cara, parece assim que ele tá bem, mas tá um farrapo, cara! Quer dizer, fisicamente não, ele fisicamente tá ótimo, mas a psicologia do cara desmoronou. Ele agora só come macarronada, só come comida engordante, não pode ver balança de farmácia. Sabe aquelas farmácias todas da Ataulfo de Paiva? Pois não tem uma que ele passe que ele não pule em cima pra controlar o peso, tu tá sabendo que a primeira batida do Aids é o cara perder peso, tu viu a cara do Rock Hudes, um cara boa-pinta como o Rock Hudes, tu saca ele do Maquimila and Uáife, pois é, não pode ver comida engordante que não caia de boca na hora, é inhoque, é milquechêique, é batata frita, é vitamina de banana, é rissole de camarão em tudo que é boteco, é um inferno em vida, cara! Tou dizendo a você, é um inferno em vida, grilo grande mesmo.

— Eu não tava sabendo disso, cara. Quer dizer que a transação do Aids leva até cinco anos pra rebentar?

— Incubadão aí, cara, pode crer, incubadão. Tipo fantasma da ópera, tá sabendo?

— Grilo grande, grilo grande. Cinco anos, tu disse?

— Cinco, seis. O dr. Carvalho bateu pra mim, cinco, seis.

— Tu tá perdendo peso?

— Nada, cara, tou segurando firme em 78, tenho acompanhado.

— Aquela farmácia ali em frente a Sendas tem balança, não tem não?

— Vai ver que tem, eu não sei, porque eu controlo naquela da Zé Linhares, criei confiança.

— É, eu acho que vou dar um pulo lá, só uma pesadinha, faz muito tempo que eu não me peso.

— Tá legal, mas acabe aí tua caipirosca, não tem pressa. Eu tenho uma teoria. Minha teoria é que o álcool por dentro faz o mesmo efeito que o álcool por fora, a gente vai bebendo e vai desinfetando. O dr. Carvalho achou interessante essa minha teoria, deu valor.

— É, com certeza, com certeza.

— E, além de tudo, o álcool ajuda a esquecer, é ou não é?

— É. Não que eu tenha nada a esquecer, mas ajuda.

— Eu também não, mas ajuda.

— O dr. Carvalho falou o que era melhor, se era caipirinha ou caipirosca?

Itaparica *by Night*

EM MATÉRIA DE gente da noite, nunca fomos assim um grande celeiro. Aqui na ilha, todo mundo é orador, escritor e poeta; produzimos elevado número de patriotas; herói, nem se fala; jogador de futebol, só para ficar num exemplo recente, temos Toninho, que foi lateral do Flamengo e da Seleção e que é aqui da Gameleira; cantores, desculpem, mas contamos com Natércio Bastos, que não nasceu aqui mas é como se tivesse, cujo gogó eu só dou ousadia de comparar com o de Orlando Silva; senhoras prendadas, é uma fartura; mulher bonita, de todas as cores, pergunte a quem já passou aqui e espere a baba; até artistas de cinema temos inúmeros, todo mundo que vem aqui filma a gente.

Mas em matéria de noite, forçoso é reconhecer que não brilhamos como nos outros setores. Damas da noite não temos, só a variedade botânica. Meu amigo Zé de Honorina considera isso uma vergonha, sinal de atraso mesmo, se queixa muito. Ele é do tempo em que os bregas eram casas de cultura. A freguesia ia lá com a finalidade habitual, mas tudo num clima de muito respeito, cordialidade e refinamento. As raparigas recitavam versos, a dona da casa oferecia docinhos, era uma coisa fina mesmo, e Zé sente falta. São os tempos.

Grandes boêmios também nos faltam. Abundam vocações, dolorosamente perdidas pela deficiência do meio ambiente. No tempo em que funcionava o Iate Clube, a orquestra era altamente boêmia, mas padecia da ausência de incentivo. Tínhamos Pitinga e seu trompete, hoje abrilhantando cabarés de Salvador. Nascimento do saxofone e da clarineta morreu. Almerindo do trombone também morreu. Carlito da bateria abandonou a arte, hoje é alto funcionário, ganhando rios e rios de dinheiro. E assim por diante.

É bem verdade que hoje em dia temos o Chega-Mais, que é uma espécie de Hippopotamus montado num curral de jegue. Mas tem luz estroboscópica e som incrementado. Quando o aplaudido cineasta Neville d'Almeida nos visitou, tive a oportunidade de levá-lo ao Chega-Mais, eis que ele é homem da noite e eu queria mostrar que Itaparica não curva a cabeça para ninguém. Chegamos lá, gostamos bastante, vimos as moças dançando lambada e tudo mais. Entretanto, descobrimos rapidamente que, se beliscássemos as moças ou tomássemos outras ousadias sofisticadas, tão comuns nos grandes centros urbanos, elas reagiriam desfavoravelmente. Elas só vão lá para dançar lambada mesmo.

Assim, qual não foi minha surpresa quando, ao desfilar solitário pela beira do cais, lá pelas dez e meia da noite, tudo deserto ("o movimento da lanchonete hoje foram quatro cervejas", me havia informado Zé de Honorina rancorosamente), topo com Isaías Português que, muito lépido, vai na direção da ponte nova.

— Isaías, você por aqui a esta hora? Alguma festa?

— Pois!

— Festa mesmo?

— É como se fosse. Vou ao novo bar.

— Ao novo bar? Tem um novo bar na cidade?

— Ah, não sabia? Pois! É, é! Um novo bar, coisa porreira mesmo!

— Ai, que estás a dizer-me? Antão vais aos copos?

— Aos copos e às miúdas!

— Às miúdas? Como "às miúdas"? Que miúdas? Miúdas do tipo daquelas que ficam a passar acima e abaixo na avenida da Liberdade?

— Pois! Desse mesmíssimo tipo. Só que novinhas, bonitinhas, todas com dentes, bestiais mesmo.

— Antão já estiveste lá antes?

— Não, esta é a primeira vez. Mas disse-me o italiano...

— O italiano? Que italiano?

— Um italiano novo que chegou aí, foge-me o apelido, é um nome italiano desses. Esse italiano montou o bar naquela barcaça imensa que vive atracada à ponte nova, diz-me que está catita, tudo muito moderno e com camarotes.

— Com o quê? O quê?

— Ca-ma-ro-tes, é o que estou a dizer-te!

— Troças, Isaías, fazes piada.

— Não, senhor, não faço piada, não senhor! Bar, miúdas e camarotes, é o que te digo! Se não acreditas, por que não me fazes companhia?

— Mas, Isaías, tu achas...

— Anda lá!

— Mas não achas que, se as nossas santas esposas vierem a saber desta proeza, não será uma grande estopada? Olha que vão ficar mesmo nas tintas, se souberem!

— Disse lá à minha que ia até a Fonte da Bica para fazer o quilo, pois a caldeirada que comi à ceia bateu-me na fraqueza.

— Bem pensado, caríssimo Isaías. Aos copos e às miúdas!

Bomba, bomba, bomba — Itaparica com barzinho e motel flutuante! Imaginei meu avô rodopiando na sepultura (não por indignação, mas por não terem inventado essas coisas ainda no tempo dele, meu avô era danado). Fazia-se indispensável uma imediata visita.

O italiano foi muito efusivo, levou-nos ao *main lounge,* onde havia um barzinho bem-arrumado e moças dançando. Novinhas, bonitinhas, todas com dentes. Isaías e eu sentamos, o italiano soube que eu era escritor, levantou-se maravilhado, bateu no peito e, quase às lágrimas, recitou Dante. Tivemos um papo literário e, subseqüentemente, observamos a falta de outros freqüentadores. Além de nós três, só havia as moças.

— *Questo è il problema* — disse o italiano. — *Qui non* tem homi.

— Não tem homem? Bem, eu e o Isaías somos homens, hein Isaías, ha-ha!

— E muito homens!

— *Ma* vocês... *No* me refiro *in questo* sentido.

— Ah, em outro sentido, ah, sim.

Incômodo silêncio. No outro sentido, ele tinha razão. Isaías e eu nos entreolhamos, olhamos as mocinhas, fomos nos levantando um tantinho sem graça. Estava ficando tarde, outro dia voltaríamos com mais calma etc. etc. Quando já íamos na ponte, o italiano acenou afavelmente.

— *Io non* disse? — gritou ele.

— Ah, vai *pastaire* — resmungou Isaías.

Sim, claro, outro dia voltaríamos, assim a primeira vez era para um reconhecimento, uma avaliação, todo mundo sabe como são essas coisas. Despedimo-nos à porta de minha casa, ele prosseguiu até a dele. Entrei e, como marido honesto, achei que devia comunicar o sucedido à minha mulher, para evitar qualquer problema.

— Mulher — disse eu, cutucando-lhe as costelas para ela acordar —, acabo de chegar de um motel.

— E eu do *Moulin Rouge* — disse ela. — Se as crianças acordarem com esse barulho, quem vai cuidar é você.

Ela é quem sabe da vida dela, pensei eu, adormecendo com um riso cínico nos lábios.

Considerações Iatrofilosóficas

REALMENTE, COMO VOCÊS devem estar cansados de me ver repetir, não se pode querer tudo neste mundo. Há gente, contudo, como eu, que continua neuroticamente tentando. E não consegue, claro. Por exemplo, aqui com o juízo coçando, eu ia falar mal do governo outra vez. Como também já disse, não é que eu goste de falar mal do governo. Pelo contrário, queria falar bem, mas sabem como é, às vezes fica difícil (lá ia eu de novo, mil perdões). Pronto, não vou falar mal do governo. Mas aí outro problema que me aflige se apresentou, como é também freqüente: um dos meus acessozinhos de pernosticismo, no título acima, com o uso de uma palavra que nem mesmo está registrada nos dicionários que consultei, embora sua formação me pareça tão legítima quanto a de "imexível". Procurei esquivar-me, mas não deu e me redimo parcialmente, explicando que "iatro" é um elemento de composição que vem do grego e quer dizer "médico". Por exemplo, "iatrogênico", palavra que existe mesmo, qualifica uma enfermidade ou anomalia provocada pelo tratamento, ou seja, pelo médico. Não sei nem por que ela existe, pois ninguém ignora que médico não comete esse tipo de erro, como, segundo me dizem, costuma ser a posição dos conselhos regionais de medicina diante de denúncias — sempre calúnias geradas por pacientes irresponsáveis e, notadamente, pela imprensa, como todas as desgraças e calamidades.

Preâmbulo concluído, apresso-me a apresentar-lhes meu grande amigo Toinho Sabacu, conceituado cidadão de Itaparica, de quem nunca lhes falei antes devido a injusto esquecimento, pois ele, por suas inúmeras boas qualidades, já de muito merecia ser mais conhecido. E também porque, apesar de sermos amigos, ai de nós, há mais de 60 anos, não prestara suficiente atenção a certas colocações suas (vejam como posso não ser craque, mas dá para manejar o linguajar contemporâneo), que considero educativas, relevantes e de acentuado interesse público. No exemplo que vou narrar-lhes, as utilidades práticas e filosóficas são evidentes e devem interessar bastante aos que se preocupam com a saúde dos brasileiros, na vanguarda dos quais está o governo (pronto, lá vou eu novamente; por favor, ignorem esta última ironia).

Toinho é, que eu saiba, o autor da metáfora da catraca, alusão ao inevitável transcurso de todos nós desta para melhor. Ele sabe que ninguém escapa de passar pela catraca e, da mesma forma que a maioria, deseja adiar esse momento, digamos, desagradável, o máximo possível. É, aliás, da ala radical, não quer nem ouvir falar na catraca. Cuida-se com seriedade, não fuma, só bebe um copinho de cerveja de caju em caju, não come o que faz mal e, enfim, obedece escrupulosamente às recomendações aplicáveis à preservação da boa saúde. E oferece conselhos e exemplos práticos sempre que surge uma ocasião oportuna. Como os que expôs há pouco tempo, em relação a adivinhe o quê. Claro, exame de próstata, ato execrado pelos varões em geral e especialmente os itaparicanos, eis que a machidão altiva por lá impera, em grau ainda maior que entre outras coletividades. Ele me contou por que, apesar de seus princípios, a lembrança da catraca o leva a fazer o exame com resignação e assiduidade, sem receio ou acanhamento.

— O médico me disse — disse ele — uma coisa importante. Ele queria fazer o exame, mas mandava minha natureza perguntar se não dava para quebrar o galho sem precisar enfiar o dedo num orifício de grande privacidade, em que eu nunca aprovei enfiar nada, pelo menos no meu. Aí ele me explicou que o exame do PSA era uma indicação importante, mas insuficiente, por isso e por aquilo. E, no que se refere à ultra-sonografia, ele me elucidou: "Seu Antônio, vamos comparar a ultra-sonografia a uma fotografia. Ela me dá uma visão de sua próstata, do tamanho a outros aspectos, é mais ou menos como uma foto. Mas, se eu puser um grãozinho de areia da praia na sua mão e fizer a foto dela, o senhor não vai enxergar o grãozinho. No entanto, se o senhor passar o dedo na mão, vai sentir alguma coisa, por mais miudinha que seja. É por isso que, apesar de compreender e respeitar a sua posição, enfiar o dedo é indispensável para um exame correto."

— E o que foi que você respondeu?

— Ah, então pode até enfiar os cinco, doutor. Eu sou um homem de decisão e não é assim que eu vou dar moleza para a catraca.

Impressionado com a destemida atitude, passo adiante para o distinto leitor que ainda reluta e para as pessoas a ele afeiçoadas. É de fato rematada frescura esse negócio de não permitir o exame da dedada, catraquismo explícito, para não dizer pior. E acrescento um complemento adicional à lição. Outro amigo nosso, viúvo e em seus galantes 66 anos, tem-se recusado a fazer uma operação na próstata, porque traz a possibilidade de torná-lo impotente.

— Que é que você está me dizendo? — espantou-se Toinho. — Ele não vai fazer a operação com medo disso? E ainda mais com 66 anos?

— Pois é.

— Interessante essa, muito interessante. Agora eu lhe pergunto, ele quer morrer com uma ereção, é isso? — Indagou ele, sem propriamente usar a expressão "com uma ereção", mas outra, essa mesma em que vocês estão pensando. — É, bonita morte. Caixão especial abaulado no meio, algumas pessoas querendo conferir, coisa fina mesmo, uma beleza. E de fato não se pode negar que tem uma vantagem nisso.

— Vantagem, que vantagem?

— Ele vai poder transar com todas as caveirinhas do cemitério, não deve ser isso que ele está querendo?

A Formação do Jovem

NÃO QUE TENHA sido a primeira conversa de homem para homem que tive com meu filho Bentão, mas acho que, desta última vez, fui ainda menos homem que ele do que da outra vez. A primeira vez foi na praia e, vergonhosamente, saí pela tangente, alegando a comissão de erros de português por parte dele, embora, é claro, ele fosse analfabeto na ocasião (ainda é, mas agora tem carteira de estudante). Nós estávamos dentro d'água e ele quis saber se podia me fazer uma pergunta. Claro que sim, respondi, com minha melhor cara de pai companheiro, aprendida nos filmes americanos.

— É uma pergunta difícil — disse ele.

— Qualquer pergunta para seu pai é difícil, ha-ha. Pode perguntar.

— Você dá beijo de novela em minha mãe, não dá?

— Eu o quê? Beijo de novela? Sim, beijo de novela. Bem, acho que sim, beijo de novela, claro, sim, acho que sim, de vez em quando eu dou uns beijos de novela nela. Vamos pegar siri?

— E você sente uma coisa?

— Sente uma coisa, como? Sente uma coisa? E... Não, é só um beijinho de novela, todo marido dá beijo de novela na mulher. Olhe ali, pegue aquele pedaço de pau, hoje está dando siri, vamos lá!

— Você sente um arrupeio?

— Hein? Um arrupeio?

— Eu vi um homem na televisão dando um beijo de novela na mulher e eles dois gemeram e ele deu um arrupeio. Quando você beija minha mãe, você geme e tem um arrupeio?

— Um arrup... Bem... Olha lá o siri, pegue o pau, olha lá o siri!

— Você sente um arrupeio, assim como o homem da televisão, assim, hrrrrrr?

— A palavra certa não é arrupeio! Arrupeio está errado, o certo é arrepio, arrepio, ouviu bem? Você...

— Você só diz arrupeio.

— Eu... Sim, eu digo arrupeio porque sou meio tabaréu sergipano, aprendi isso em Muribeca. Mas você nunca esteve em Muribeca e é no máximo tabaréu português, portanto tem que dizer arrepio e não arrupeio. Arrupeio é errado, ouviu bem? Aliás, o senhor já fez o dever de casa? Eu vou falar com sua professora e mostrar a ela que o senhor só sabe o B, o C e o H, assim mesmo com o nome de "escadinha", e conta um-dois-quatro-nove-oito-dez, o senhor ouviu bem?

— Olha ali o siri, pai, pegue o pau, olhe o siri!

Mas não tinha siri nenhum por perto quando eu estava na sala, lendo o jornal, e minha mulher apareceu na companhia dele, que vinha com uma cara meio intrigada.

— Pronto — disse ela. — Converse aí com seu pai.

— Converse com o seu pai o quê? — disse eu, que ainda não tinha me recuperado do arrupeio.

— Ele precisa ter uma conversa de homem para homem com você.

— Conversa de homem para homem? Ele disse isso?

— Não, não disse. Eu é que achei que era conversa de homem para homem. Pai é pai. Bem, com licença, que eu tenho de ir lá dentro tratar o peixe.

— Tratar o peixe? Você, tratando peixe? Mentirosa! Você já ameaçou fugir de casa se tivesse que tratar peixe! Não existe essa conversa de homem para homem! Volte aqui! Mulher machista! Não me deixe sozinho aqui! Machista!

— Está bem, se você quiser eu fico.

— Não, tudo bem, besteira minha, eu compreendo essas coisas, besteira minha. Eu posso perfeitamente conversar com meu filho.

— Então tudo bem, eu vou lá para dentro.

— Está bem. Espere aí, só um instantinho. O que é que ele quer conversar?

— Ele quer saber o que é camisinha.

— Hein? O que é... Pra que é que ele quer saber o que é camisinha? Que idéia é essa? Volte aqui! Mulher machista, volte aqui! Se você me deixar sozinho aqui, é o divórcio, entendeu, é o tudo acabado entre nós hoje de madrugada! Fique aqui! Que cara é essa, por que este olhar fixo em mim?

— Eu estou esperando que você dê a explicação.

— Camisinha... Por que é que você quer saber o que é camisinha, Bentão?

— Eu vi na televisão. O homem disse que todo mundo deve usar a camisinha para não ficar doente no hospital. Você usa camisinha?

— Eu... Mulher!

— Você disse que podia perfeitamente conversar com seu filho.

— Sim, claro. Mas você podia ajudar, você bem que podia!

— Você me dá uma camisinha sua, pai? Se eu não usar a camisinha, eu também fico doente no hospital?

— Bem, a camisinha... Mulher, como é que eu faço?

— Se eu soubesse, eu fazia.

— Bem, meu filho, a camisinha... Vamos fazer o seguinte, depois eu explico, está bem? É um pouco complicado, eu vou pensar num jeito de explicar, está bem?

— Está. Mas você promete que usa a camisinha para não ficar doente no hospital? Eu não quero que você fique doente no hospital.

— Prom... Depois eu explico, depois eu explico, filho, está bem?

— Está. Essa televisão daqui passa no Rio de Janeiro?

— Mais ou menos. Quase tudo.

— Então pode não passar o aviso da camisinha e então eu vou telefonar para meu avô para ele usar a camisinha para não ficar doente no hospital.

— Telefonar para seu avô? Não, não precisa, o aviso passa lá, pode ter certeza. Eu explico depois, está bem? Depois.

Depois esse que ainda não chegou. Discuti a questão metodológica com a mulher. Para explicar a camisinha, tem de explicar tudo, não adianta enrolar. Como é, vamos comprar uns livrinhos desses em que a abelhinha voa de florzinha em florzinha, o galo pula em cima da galinha e o nenenzinho fica na barriguinha da mãezinha? Vamos ler uns livros de psicologia infantil e pirar de vez? Não, livro de psicologia infantil, não, jamais. Sabem do que mais? Vai ficar tudo por isso mesmo, não vou explicar coisa nenhuma.

— Mulher — disse eu, com sotaque sergipano que emprego nessas situações de liderança familiar —, já resolvi o que vou fazer. Não vou fazer é nada, isso é tudo encucação nossa, daqui a pouco ele esquece isso, não vai ter problema nenhum. A mim nunca ninguém ensinou nada, sabia? Nunca ninguém ensinou nada, entendeu?

— Eu sei, querido — disse ela.

Lá Vem ou lá Foi, eis a Questão

NÃO SEI SE alguém já disse isto, mas tudo neste mundo é relativo. Por exemplo, não escondo ou diminuo minha idade, embora não censure quem o faça, mas tampouco a aumento, como já foi minha prática corriqueira. Ao matutar agora, neste fim de ano, que como sempre nos traz um estado de espírito diferente, lembro o tempo comoventemente patético em que, na companhia de amigos corajosos, dispensava a carteira de estudante que, em troca da meia-entrada, me denunciava a idade, para enfrentar com a bravura possível a severidade do porteiro do cinema, quando estava passando "filme impróprio". Entregava meu ingresso e me embarafustava pela passagem, antes que meu rosto imberbe e cheio de espinhas chamasse a atenção do porteiro. A maioria deles era simpática, mas havia um (não esqueço a cara dele, baixinho de bigode, hoje certamente falecido e Deus o tenha, embora eu não faça tanta questão), no antigo Cine Glória em Salvador, que me pegava sempre e que quase me fez perder a cena em que aparecia um peito de Françoise Arnoul, num filme em que ela era amante de Fernandel.

Sim, só a turma de meu tope se lembra, se é que se lembra, de Françoise Arnoul e Fernandel, mas não tem importância. Basta imaginar a espera palpitante na fila, o suspense da passagem pelo porteiro e a ansiedade terminal de quem ia ver pela terceira ou quarta vez, ou quantas lhe coubessem no esquálido orçamento, um peito de Françoise Arnoul. Se bem me lembro, a cena era trivial e podia ter acontecido de forma imprevista, mantida mais tarde pelo diretor, tamanha era a casualidade com que acontecia. Discutindo com Fernandel, Françoise Arnoul, de combinação e sem sutiã (e isto, distinta jovem, amável rapaz, num tempo em que as atrizes americanas dormiam maquiladas e de sutiã e ficavam grávidas sem que a barriga aumentasse), vai pegar algo, uma alça da combinação escorrega e — aaaaai! — aparece um peito durante meio segundo, que ela logo esconde outra vez, com uma puxada distraída na alça. Barato indescritível, insubstituível, irrevivível.

Aumentei muito a idade por causa dos filmes impróprios. Cheguei a ser uma autoridade no assunto, talvez o rapaz de minha idade que a mais filmes impróprios assistiu. Devo dividir com mais uns dois ou três gatos-pingados a lembrança, há muito levada pelo vendaval do tempo, das deusas que ninguém mais celebra. Não me refiro a Martine Carol, Silvana Pampanini e outras ainda saudosamente cultuadas, num eventual momento de solidão nostálgica, pelos quirômanos d'antanho (domingo, dia de levantar dicionário, precisamos fazer alguma coisa quanto à barriga — pelo menos eu preciso), ainda hoje na ativa. Eles não esqueceram, por exemplo, da lourinha Mylène Demongeot, que tanto sucesso fez no Rio de Janeiro e que hoje estará sabe-se lá onde. Tentei uma enquete, ninguém se lembrava de Mylène Demongeot. Eu me lembro de Mylène Demongeot. E também tem outro coroa, de quem muitos de vocês já devem ter ouvido falar, que se lembra de Mylène Demongeot, só que com muito mais profundidade do que eu, mas não lhe posso revelar o nome porque a mulher dele pega pesado.

E também levo vantagem pela minha condição de itaparicano. Hoje em dia não tem cinema em Itaparica, mas já teve. Teve dois, aliás, sendo que um, o de Waldemar, no Alto de Santo Antônio, era com poltrona estofada, coisa finíssima. Já o de Nélson era no Campo Formoso, mais ou menos perto lá de casa e, quando a bilheteria fraquejava, Nélson contratava uma série policial (não vou explicar o que era o perigo da série às novas gerações, quem tem seu neto que se vire) e um filme impróprio. Comparecimento infanto-juvenil garantido, e ninguém era besta de negar entrada aos meninos, não só por consideração a Nélson como porque do contrário os pais iriam reclamar, era pelo menos uma folguinha que eles tinham. O que eu vi de peito europeu, modéstia à parte, merecia um certo reconhecimento cultural.

Mas não era sobre peitos, hoje mais à mostra que feijão na feira, que eu queria escrever, à beira deste ano que vai entrar. Queria apenas referir-me à ironia com que a vida nos trata o tempo todo. Aumentei a idade para ver peitos no cinema. Aumentei a idade para não ser considerado pirralho pelas moças (mas mesmo assim era). E cada réveillon me deixava ansioso que passassem logo os dias até meu aniversário, que é no mesmo mês. Era um ano começando, era eu ficando mais homem, eram perspectivas se abrindo — era, enfim, uma boa sensação ver um ano esvoaçando para nunca mais voltar e outro se abrindo em promessas, esperanças ou certezas, pois naquele tempo havia certezas, hoje finadas.

Bem, o futuro chegou, é isto aqui onde estou. De início, pensei que a vaga melancolia que me tem acometido era causada pelo que temo do que talvez venha pela frente. Pode ser isso, mas meu temor é misturado irracionalmente com esperança. Não, não era somente isso. Talvez já estivesse notando o que vou dizer e ocultando-o de mim mesmo, mas este ano foi que me pegou. Foi o primeiro ano que não sinto chegar, mas sinto passar. Daí ter pensado nesse título bobo. Para uns é mais um ano que vai, para outros é mais um ano que chega. Para mim, verdade, pois não cuspo no prato nem me queixo, também é um ano que chega. Mas é principalmente, sinto que doravante cada vez mais, um ano que vai. Claro que, para todos vocês, além de um ano que chega, é um ano que vai. Mas alcancei claramente um ponto em que decididamente o ano não chega, vai. E o próximo também irá. É bom saber disso, é bom para a humildade que deve acompanhar a condição humana. Boas entradas e, para os encalacrados, boas saídas.

Mas não no Sul

Uma das coisas mais desagradáveis é a evidência de nossa própria ignorância, o que para mim se manifesta a maior parte do tempo, mas principalmente em festinhas e reuniões. Em festinhas e reuniões eu posso sempre ser reconhecido, mesmo por aqueles que nunca viram a minha cara. Eu sou o de vestes frouxas, camisa para fora das calças, copo de uísque agarrado quase convulsivamente e a aparência de estar sofrendo uma ligeira dispnéia, que no momento presta esforçada atenção a um senhor que explica em pormenores o mercado imobiliário do Rio de Janeiro. Sinto a necessidade premente de intercalar um comentário, mas só me vem à cabeça "comprar apartamento é uma boa coisa". É evidente que preciso de algo melhor, a fim de que meu interlocutor não descubra que está falando com um débil mental.

— Comprar apartamento é uma boa coisa — digo finalmente, sem ter certeza de que cara se faz quando se diz isso.

— Você comprou o seu quando? — pergunta ele.

— Nunca, nunca — respondo vagamente, esperando que ele infira que com isso quero dizer que tenho preferência por investir na Bolsa de Nova Iorque ou qualquer coisa assim.

— Ah — diz ele, e eu me sinto um pouco desconfortável.

Por essa razão também sou aquele, na festinha ou na reunião, que é visto fingindo vasta admiração por um quadro pendurado na parede, junto da gaiola dos passarinhos ou do aquário, ou então afetando vivo interesse por peixes e passarinhos. Adianta pouco, porque sempre aparece alguém para mexer na ferida.

— Ah, gosta do Scliar, hein? — diz o alguém que, nestes casos, costuma ser um senhor gordo, alto e de voz tonitruante.

— Sim, sim — digo eu. — O Scliar...

— Ah, eu também gosto muito — fala o senhor gordo, aproximando-se do quadro com ar apreciador. — Ele tem uma sutileza estranha, eu diria uma sutileza agressiva, você não acha?

— Acho sim, acho. Aliás, sinceramente, eu só sabia da atividade dele como escritor, ele é meu amigo, gosto muito, gosto muito.

O senhor gordo me olha fulminantemente. Noto que disse alguma coisa errada. Tomo um gole de uísque, desvio a vista para o outro lado e passo o dedo na moldura do quadro.

— O senhor está falando do Moacyr. Eu estou falando do Carlos. O pintor!

Metralha o indicador em direção ao quadro, com indignação.

— Ah, sim, claro — digo eu. — O Moacyr é gaúcho, não é? O senhor sabe que até hoje eu não conheço Porto Alegre, mas tenho muitos amigos lá? O Moacyr...

— O senhor me desculpe, estão me chamando ali.

— O Moacyr é médico! — tento eu ainda, mas ele não me ouve e desaparece pelo corredor adentro.

Restam os passarinhos e os peixes. Como pode sempre haver um passarinho que fale, dou preferência aos peixes e dedico algum tempo a me recuperar do incidente scliariano fitando o aquário e agitando os pedacinhos de gelo dentro do copo. Quem sabe posso juntar-me àquela rodinha onde estavam discutindo futebol? Literatura nem pensar. Na outra o papo é música popular, barra muito pesada. Com o pessoal que compra terreninhos não posso esperar diálogo, sou de outra classe. A turma da política não pode ser, inclusive sou o único aqui que não chama ninguém em Brasília pelo primeiro nome. Fico assim, ponderando essas angustiosas decisões, quando uma senhora, talvez a dona da casa, pergunta se não quero outro uísque e aí me vê olhando os peixes.

— Ah! — exclama ela, encantada. — O senhor sabe que peixe é esse?

Como se responde a uma pergunta dessas? Por que ela tem de perguntar, ainda mais com essa cara de expectativa, essa aparência de quem vai ficar decepcionada se eu não souber? Resolvo, finalmente, optar pelo caminho digno. Responderei que não sei. Há um intervalo, a senhora me espera com o pescoço espichado e aqueles olhinhos arregalados de quem só está aguardando ouvir o que já sabe que vai ouvir.

— Tu... tucunaré? — indago afinal, com os olhos piscando mais do que deviam.

A senhora fica pasma. Tucunaré? Mas se todo mundo sabe que é um acará-bandeira! O acará-bandeira, um peixe brasileiro tão conhecido! Como, aliás, o tucunaré! Mas o tucunaré... — ha-ha — o tucunaré... não, meu senhor, isto não é um tucunaré, ha-ha.

— Claro, um acará. Eu sempre confundo. Tucunaré, acará...

E prossegue a noite, numa sucessão lamentável. Até mesmo na rodinha do futebol não me dei muito bem. Antes, temerariamente, ingressei na de literatura, por culpa de uma sobrinha minha que me puxou pela mão e me apresentou como "um grande escritor". O rapaz que detinha a palavra no momento perguntou o meu nome, eu disse e ele fez "oh". Perguntei a ele em que trabalhava, e ele disse que era professor de literatura brasileira. "Oh", fiz eu. Aí ele ficou um pouco embaraçado porque achou que eu fiquei embaraçado porque ele nunca tinha ouvido falar em mim e então, de vez em quando, interrompia a palestra, sorria para o meu lado e me chamava de "o nosso João Osvaldo Vieira". Houve até uma vez em que, generosamente, disse que "o nosso João Osvaldo sabe isso melhor do que eu". Fiquei grato, mas não tive condições de permanecer, inclusive porque o papo estava descambando para o processo criativo e não entendo nada de processo criativo, só escrevo.

Hoje, contudo, sou um homem novo. Li num livro americano, escrito por uma vítima de aflição equivalente à minha, que aconselha um remédio simples para essas situações. Deve-se sorrir com grande confiança e, quando a coisa aperta, dizer "mas não no sul", ou qualquer variante bem escolhida (na verdade, basta que se variem os pontos cardeais). Funciona. Já testei aqui mesmo em Portugal, estou pronto para o que der e vier. Ontem assisti a toda uma discussão sobre a situação do Timor com um sorriso superior nos lábios que, dentro de pouco tempo, fez com que todos se dirigissem a mim com grande respeito. Há de haver alguns, inclusive, que a esta altura me consideram uma grande autoridade em assuntos timorianos. Notadamente porque um deles, no auge da discussão, exigiu que eu me manifestasse quanto à sua afirmação, segundo a qual a situação do Timor estava sob o perfeito controle da Indonésia. Fez-se uma pausa, todos me olharam. Não me apressei, não apaguei de todo o sorriso. Mirando diretamente o meu interlocutor, balancei um pouco a cabeça e me pronunciei com a gravidade apropriada:

— Sim, mas no sul não.

Ele recebeu uma pancada diante da súbita revelação de meu conhecimento íntimo do problema. Hesitou um pouco, mas continuou.

— Sim, claro — falou. — No sul, nem tanto, porque, efetivamente...

Fiz muito sucesso, continuei sorrindo. Como vocês sabem, sou muito famoso por essas artes. Não no sul, é claro.

Internação, Corrente ou Aposentadoria

No momento em que lhes escrevo, me encontro num estado emocional e psicológico deplorável, quiçá calamitoso. Sei que vocês (nem o governo, aleluia!) não têm nada com isso e minha revelação equivale mais ou menos à que, por exemplo, faria um ator de quinta categoria ou em surto psicótico, explicando à platéia, antes do espetáculo, que sua performance, naquele dia, será inferior à do elenco de um circo falido homiziado num arraial de Cabrobó. As vaias que recebesse seriam mais que merecidas e acredito que também farei jus a vaias (linchamento eu acho um pouco de exagero, embora, na conjuntura em que vivemos, até compreensível, todos andam muito tensos) e penso seriamente em não botar os pés fora de casa neste domingo, nem que seja no interesse de preservar minha mãe de referências desairosas, pela desdita de ter parido um filho como eu.

Estou escrevendo num laptop mesozóico, movido a corda, com uma fonte de energia adicional acionada a querosene e já sob a proteção do Estatuto do Idoso. Tive um pouco de dificuldade em arrumar querosene, mas descolei dois litros numa loja que vendia geladeiras fabricadas no início do século passado. E, ecologicamente consciente quanto ao uso de combustíveis produtores de poluição, também mandei montar um filtro para conter as emanações nocivas exaladas do meu instrumento de trabalho. Havia até escolhido um assunto para ocupar este espaço que hoje envergonhadamente avacalho, mas não consigo abordá-lo, porque, refletindo melhor (sic), devo estar também em surto e não tenho condição de falar sobre coisa nenhuma que não minha patética situação.

Os poucos heróis que persistem em ler-me há anos devem lembrar-se de minhas queixas quanto a computadores. De fato, todo mundo sabe que esses aparelhos freqüentemente se entregam a comportamentos exasperantes e que é prudente não ter martelos, marretas ou machados à mão, quando se usa um deles. Mas, na minha profissão, como agora em quase todas, com a possível exceção da de gari, não dá para escapar. E, na verdade, sempre exagerei um pouco, para ironizar os — perdão — computadólatras. Fui dos primeiros escritores brasileiros a usar computador para escrever e posso mesmo dizer que, não por inteligência ou aptidão, mas porque minha burrice alcança o grau dois numa escala que vai crescentemente a dez, a experiência acabou me conferindo uma certa habilidade em seu manejo.

Há algum tempo, meu computador principal funcionava bem, embora obsoleto, o que não quer dizer muito em informática, porque qualquer um deles já é obsoleto ao ser retirado da caixa da embalagem. Quebrava meu galho satisfatoriamente, tanto assim que passei longo tempo sem xingá-lo, nem privadamente nem em público, e somente uma vez quis jogá-lo pela janela, não o tendo feito por receio de machucar ou matar algum passante. Mas, recentemente, ele passou a insistir em apresentar umas falhazinhas levemente aporrinhantes e aí dei o mau passo: resolvi encomendar um novo e atravessei o Rubicão, só que, ao contrário de Júlio César (o imperador, não o jogador, apesar de mais famoso), comecei a tomar uma sova que estou tomando até agora e tudo indica que devo continuar tomando por ainda não sei quanto tempo, quem sabe o resto da vida.

Ele veio com tudo em cima, últimas novidades, dos programas aos componentes. Celebrei sua chegada e, em processo que redundou em humilhação, cometi a imprudência de gabar-me exuberantemente aos amigos. "Agora estou com um Rolls-Royce" era o mínimo que eu dizia, sem saber que o que tinha caído nas minhas mãos equivalia a um Rolex de cinqüenta reais, em camelô que não dá desconto. Desde o dia em que ele foi entregue, minha ocupação mudou. Deixei de ser escritor, o que, se pode representar um alívio para a literatura nacional, acarreta a desvantagem de eu não poder mais ganhar a vida e cogitar em pleitear uma vaga na Casa dos Artistas, com base na minha experiência pregressa de cantor de banheiro. Entre muitos outros cretinismos que me afligem, está o cronográfico, de maneira que não sei há quanto tempo dedico uma média de pelo menos dez horas diárias a tentar fazer o diabólico aparelho funcionar, mas deve ser coisa de pelo menos um mês. E com a agravante de que não fomos feitos um para o outro: ele é sádico e eu não sou masoquista. Tentei discutir o relacionamento, mas, como sabemos, isso não dá certo, pois algumas incompatibilidades não podem mesmo ser superadas. Volta e meia me vem a tentação de presenteá-lo a algum desafeto, mas me contenho a tempo, porque ninguém merece vingança tão cruel.

Não farei, Deus me guarde, seus olhos de penico e não vou pormenorizar o que tenho enfrentado, mas o sofrimento já me deve ter rendido alguns séculos, talvez milênios, de redução de estada no Purgatório. Consolo parco agora, mas deverei mudar de opinião assim que transpuser a catraca a que se refere meu amigo Toinho Sabacu, de quem lhes falei na semana passada. Todo dia ouço de alguém que isso vai passar e tudo será resolvido. Sim, com certeza, eis que tudo passa neste mundo, mas acho que eu passo antes. O último diagnóstico técnico que obtive foi que se trata de interferências sobrenaturais. Altamente científico, mas, como não disponho de ninguém do ramo, aceito indicações de rezadeiras, exorcistas, pais-de-santo e similares. Aceito também (vejam como é a vida, nunca pensei que usaria estas palavras) correntes de energia positiva das almas caridosas que se apiedarem. O que não impede a internação numa clínica psiquiátrica que já ocorre a meu alarmado médico, e/ou a aposentadoria definitiva. Ou mesmo adeus, mundo cruel.

De Volta ao Calçadão?

Espero que este domingo esteja um dia meteorologicamente irretocável, um sol quase de verão amenizado por ares outonais. Sempre espero mais ou menos isso, aliás, mas é freqüente que não me dê bem na previsão e o domingo só seja propício para os espíritos melancólicos, que sentem estranho prazer em contemplar sozinhos a paisagem penumbrosa e úmida, a chuva escorrendo pela vidraça e ocultando o horizonte, talvez uns versos de Lupicínio Rodrigues insistindo em ser cantados no fundo da mente, lembranças enevoadas e frias enxameando em torno da cabeça. Porque os melancólicos também são filhos de Deus, dias assim não deixam de ter seu valor e serventia, sublinhando a sutil sabedoria da frase de meu amigo Benebê, que às vezes a repete em tertúlias no bar de Espanha, em Itaparica. "O mundo é perfêtcho", diz ele, em seu impecável sotaque do Recôncavo, e ninguém ousa contestá-lo, inclusive eu, naturalmente.

Sim, o mundo é perfeito, ou tem sido até começar a acabar (vai ver que Benebê vê nisso outra mostra de sua perfeição, porque ele vai acabar para nós, mas não para ele mesmo ou para as baratas), mas peço vênia aos que hoje estão inclinados ao quebranto, ao banzo, a pensamentos macambúzios e diversos outros estados de espírito em que às vezes misteriosamente nos comprazemos, para preferir o sol e a claridade brilhante que para a maioria é a melhor forma de a manhã de domingo apresentar-se. Um belo domingo de sol com tudo a que tem direito e por que adiar a temível decisão, que precisará ser tomada mais cedo ou mais tarde?

Sabem os abnegados que me lêem com constância que a malha médica me pegou firme outra vez, desta vez com pinta de quem quer botar tudo no papel passado, ou seja, a malha médica quer casar comigo, ou entrar numa coabitação mais ou menos intensa. Há uns exames programados que ainda não fiz e que, só em olhar para as requisições, me congelam o sangue. Um aqui, deve ser coisa boba, leva cerca de quatro horas. Não sei bem o que me quer dizer minha imbatível equipe de esculápios, mas temo que não façam uma idéia lá muito favorável de minhas condições físicas ou mentais, ou ambas as coisas. Sofro pesadelos em que imagino todos os 11 (ainda não contei, mas acho que já dá um time de futebol, com sobras para um banquinho de reservas) fazendo o comentário que eles fazem entre si, quando deparam um estado de saúde no mínimo estapafúrdio: "É um belo caso", dizem eles, entre risinhos sádicos. "Belo caso, belo caso!"

Nenhum deles ainda me disse, mas eu sei que sou um belo caso, daí os exames. E daí a inevitável sentença: calçadão. Não serve esteira, porque eu enrolo, não serve bicicleta estacionária, porque eu me recuso a livrar-me da minha, que deverá fossilizar-se em breve e os arqueólogos não me perdoariam se a jogasse no lixo. E porque convencionou-se, ignoro eu a razão, que andar no calçadão é fantástico e nada pode ser comparado ao calçadão e quem não gosta do calçadão é porque não se acostumou e quem não se acostuma é porque deve ter alguma doença rara que antigamente só dava em anões romenos e que, depois de andar no calçadão, a sensação de euforia e bem-estar é indescritível.

Claro, não espalhem, mas eu sou um anormal. Outro dia, em palestra com o lépido calçadonista Zuenir Ventura, ele dissertou doutamente sobre endorfinas e ficou pasmo quando eu disse que ignorava os benefícios trazidos por elas, pois que, depois de andar no calçadão, só me vinha uma sensação de alívio e cumprimento de penas no Purgatório, acompanhada do desejo intenso de que uma ressaca cobrisse inteiramente o calçadão no dia seguinte. Ele ficou penalizadíssimo e chamou alguns amigos circunstantes para me mostrar, como quem mostra um ornitorrinco num zoológico. Caso raríssimo de — como diria? — anendorfinia. Fiquei com tanta vergonha de minha doença que perguntei se não dava para injetar endorfinas na veia e ele prometeu verificar para mim.

A malha médica, entretanto, não se contenta com isso, exige o calçadão. Usei todos os argumentos possíveis, notadamente, o que sei que é politicamente muito incorreto, pois abomino o calçadão, embora com todo o respeito pelos seus cultores. Mas ninguém parece a favor da liberdade religiosa e assim sou obrigado, quer queira quer não, a andar no calçadão. Dois ou três membros da malha médica ainda sugeriram que eu me matriculasse numa academia, mas também já tenho essa experiência. Na minha idade, dá muito trabalho adaptar-se a uma subcultura de elevada complexidade como a das academias, onde todo mundo me acha chato e eu acho todo mundo chato.

Ainda não me dei por vencido intimamente, mas já capitulei. Desejei um domingo de sol porque planejava começar hoje, sério mesmo. Comprei um calção novo, sapatos metidos a besta e obviamente superfaturados conforme os costumes nacionais, até uma camisa especial — não sei por quê, mas o balconista disse que era especial e eu acredito em tudo o que me dizem. Achei o chapéu e os óculos escuros, está tudo pronto. Mas agora senti que não será hoje. Sempre em perfeita sintonia com a realidade nacional, vou começar de uma forma que, pelo menos simbolicamente, represente algo importante para mim e para o Brasil. Já escolhi a data: no dia em que o espetáculo do crescimento começar, podem ter certeza de que estarei marchando briosamente pelo calçadão e vocês vão testemunhar o desempenho do maior caminhador deste país, desde que a coluna Prestes percorreu toda a muralha da China. Esperem sentadinhos, claro, Roma não foi feita num dia.

O Dia em que Nós Pegamos Papai Noel

NA NOSSA TURMA em Aracaju — uns 15 moleques de 9 a 10 anos de idade, no tempo em que menino era muito mais besta do que hoje —, quem sabia de tudo era Neném, cujo verdadeiro nome até hoje desconheço. Neném era chamado a esclarecer todas as dúvidas, inclusive em relação a mulheres, assunto proibidíssimo, que suscitava grandes controvérsias. Ninguém sabia nada a respeito de mulheres e muitos nem sabiam direito o que era uma mulher. As mulheres usavam saias, falavam fino, tinham direito a chorar e os homens mudavam de assunto ou tom de voz quando uma delas se aproximava — e pouco mais do que isso constava do nosso cabedal de informações, razão por que Neném assumiu grande importância no grupo.

Neném sabia tudo de mulher, contou cada coisa de arrepiar os cabelos. Houve quem não acreditasse naquela sem-vergonhice toda: como é que era mesmo, seria possível uma desgraceira dessas?

Quer dizer que aquela conversa de que achou a gente dentro da melancia, não sei o quê, aquela conversa... Pois isso e muito mais! — garantia Neném, e aí tome novidade arrepiante em cima de novidade arrepiante. Um menino da turma, o Jackson (em Sergipe há muitos Jacksons, por causa de Jackson de Figueiredo, é a mesma coisa que Ruy na Bahia), ficou tão abalado com as revelações que foi ser padre.

Mas, antes de Jackson se assustar mais e entrar para o seminário, chegou o primeiro Natal em que o prestígio de Neném já estava amplamente consolidado e a questão das mulheres — tão criadora de tensões, incertezas e pecados por pensamentos, palavras e obras — foi substituída por debates em relação a Papai Noel. A ala mais sofisticada lançava amplas dúvidas quanto à existência de Papai Noel e o ceticismo já se alastrava galopantemente, quando Neném, que tinha andado gripado e ficara uns dias preso em casa para ser supliciado com chás inacreditáveis, como faziam com todos nós, apareceu e, para surpresa geral, manifestou-se pela existência de Papai Noel. Ele mesmo já estivera pessoalmente com Papai Noel. Não falara nada porque, se alguém fala assim com Papai Noel na hora do presente, ele toma um susto e não bota o presente no sapato. Apenas abrira um olho cautelosamente, vira Papai Noel, com um sacão maior do que um estudebêiquer, tirando os presentes lá de dentro, foi até no ano em que ele ganhara a bicicleta, lembrava-se como se fosse hoje. Então Papai Noel existia, era fato provado.

Alguns se convenceram imediatamente, mas outros resistiram. Aquele negócio de Papai Noel era tão lorota quanto a história da melancia. Neném se aborreceu, não gostava de ter sua autoridade de fonte fidedigna contestada, propôs um desafio. Quem era macho de esperar Papai Noel na véspera de Natal? Tinha que ser macho, porque era de noite, era escuro e era mais de meia-noite, Papai Noel só chega altas horas. Alguém era macho ali?

Ponderou-se que macho ali havia, machidão é o que não falta em Sergipe, não se fizesse ele de besta de achar que alguém ali não era macho do dedão do pé à raiz do cabelo. Mas era uma questão delicada, como era que se ia fazer para enganar os pais e conseguir escapulir de casa à noite? E quem tivesse sono? Havia alguns que tomavam um copo de leite às oito horas e caíam no sono 15 minutos depois, era natureza mesmo, que é que se ia fazer? Era muito fácil falar, mas resolver mesmo era difícil.

Neném não quis saber. Disse que macho que é macho vai lá e enfrenta esses problemas todos, senão não é macho. Macho era ele, que só não ia sozinho para o quintal de Zizinho apreciar a chegada de Papai Noel porque, sem companhia, não ia ter graça e infelizmente não havia ali um só macho para ir com ele. Por que ninguém aproveitava que a Feirinha de Natal funciona até tarde e os meninos têm mais liberdade de circular à noite?

Claro, a Feirinha de Natal! Todo Natal havia a Feirinha, montada numa praça, com roda-gigante, carrossel, barracas de jogos e tudo de bom que a gente podia imaginar, iluminada por gambiarras coloridas e enfeitada por todos os cantos. Sim, não era impossível que um bom macho conseguisse aproveitar a oportunidade gerada pela Feirinha e escapulir para ver Papai Noel no quintal de Zizinho. Só que não podia ser mais perto, por que tinha de ser no quintal de Zizinho? Elementar, na explicação meio entediada de Neném: Zizinho tinha mais de dez irmãos, era a primeira casa em que Papai Noel passaria, para descarregar logo metade do saco e se aliviar do peso. Além disso, o quintal era grande, cheio de árvores, dava perfeitamente para todo mundo se esconder, cada qual num canto para manter sob vigilância todas as entradas do casarão, menos a frente, é claro, porque Papai Noel nunca entra pela frente, qualquer um sabe disso.

Eu fui um dos machos, naturalmente. E, já pelas dez horas, o burburinho da Feirinha chegando de longe com a aragem de uma noite quieta, estávamos nos dispondo estrategicamente pelo quintal, sob as instruções de Neném. Alguns ficaram com medo de cobra (macho pode ter medo de cobra, não é contra as normas), outros se queixaram do frio, outros de sono, mas acabamos assentados em nossas posições.

Acredito que cochilei, porque não me lembro do começo do rebuliço. Alguém tinha visto um vulto esgueirar-se pela janela do quarto da empregada, que ficava separado da casa, do outro lado do quintal. Era Papai Noel indo dar o presente de Laleca, a empregada, uma cabocla muito bonita e, segundo Neném, "da pontinha da orelha esquerda". No duro que era Papai Noel, já havia até descrições do chapéu, da barba, do riso, tudo mesmo. Como os soldados dos filmes de guerra que passavam no cinema do pai de Neném, fomos quase rastejando para debaixo da janela de Laleca. Estava fechada agora, Papai Noel certamente não queria testemunhas.

Mas como demorava esse Papai Noel! Claro que, nessas horas, o tempo não anda, escorre como uma lesma. Mas, mesmo assim, a demora estava demais.

— Estou ouvindo uns barulhinhos — cochichou Neném.

— Eu também.

— Eu também. E foi risada, ainda agora, foi risada?

— Psiu!

Silêncio entre nós, novos barulhinhos lá dentro.

— Quem é macho aí de perguntar se é Papai Noel que está aí? — perguntou Neném.

Eu fui macho outra vez. Estava louco para apurar aquela história toda, queria saber se Papai Noel tinha trazido o que eu pedira e aí gritei junto às persianas:

— É Papai Noel que está aí?

Barulhos frenéticos lá dentro, vozes, confusão.

— É Papai Noel?

A barulheira aumentou e, antes que eu pudesse repetir a pergunta outra vez, a janela se abriu com estrépito e de dentro pulou um homem esbaforido, segurando uma camisa branca na mão direita, que imediatamente desabalou num carreirão e sumiu no escuro. Lá dentro, ajeitando o cabelo, Laleca fez uma cara sem graça e perguntou o que a gente estava fazendo ali.

— Era Papai Noel que estava com você?

— Era, era — respondeu ela.

Mas ninguém ficou muito convencido, até porque o homem que pulara tão depressa janela afora lembrava muito o pai de Zizinho, que por sinal, no dia seguinte, deu cinco mil réis a ele, disse que ficasse caladinho sobre o episódio e explicou ainda que Papai Noel não existia, Papai Noel eram os pais, como ele, pai de Zizinho, que todo Natal ia de quarto em quarto distribuindo presentes. De maneira que até hoje a coisa não está bem esclarecida e nós ficamos sem saber se bem era uma história de Papai Noel ou se bem era uma história de mulher daquelas de arrepiar os cabelos.

Saúde para Dar e Vender

Acho que estou me tornando um exemplo para a terceira idade, que, aliás, não sei bem o que é, pois uns me dizem que começa aos 60, outros aos 65. Mas já me chamaram de ancião mais de uma vez e venho me adaptando esplendidamente à situação, depois de alguns percalços normais para um principiante. Claro, não sou perfeito e admito que prossigo adiando para a segunda-feira (não esta que vem aí, que está muito em cima; a outra) minha volta ao calçadão. Receio fazer uma imediata legião de desafetos, mas a verdade é que já tentei, já até fixei um sorriso hipócrita na cara ao chegar ao calçadão, mas abomino andar nele, a dolorosa realidade é esta, não dá mais para esconder. Nunca me senti bem nem antes nem depois, mesmo insistindo durante meses. Devo padecer de endorfinopenia incurável, expressão que acho que acabo de inventar agora, para descrever a conclusão de que as famosas endorfinas não gostam, ou desistiram, de aparecer no meu organismo. Será talvez uma das incontáveis deficiências que a Natureza me dadivou, mas o único efeito que andar no calçadão exerce em mim é encher o saco — sem pretender deslustrar nenhum andador extremado, respeito a opção sexual de todos, sou muito politicamente correto.

No resto, faço-lhes saber que cumpro minha parte, notadamente quanto à luta antitabagista. Vai fazer, se já não fez, um mês e meio que não fumo. Tenho conseguido tourear o hediondo vício e, para castigar a matéria, como se diz na minha terra, tomo café pela manhã e depois do almoço, mas devo admitir que não vem sendo fácil. De vez em quando dou uns ataques e já me flagrei vagueando pelo bairro para me arejar e fazer alguma coisa que me tirasse a lembrança do cigarro. Outro dia, entrei numas quatro papelarias, dois bazares e uma loja de material elétrico e de construção. Comprei um alicate (uma beleza de alicate, amarelão nos cabos, parrudão, maravilha de alicate), um martelo (indispensável para quem usa computador), diversos benjamins ininteligíveis, uma coleção sortida de esferográficas de plástico, um saquinho de parafusos, dois cadernos, um bloco de notas, uma caixinha de etiquetas, uma colher de pedreiro, uma cesta de vime e um saco de húmus para o jardim. Foi uma tarde movimentada e certamente deixei diversos balconistas pouco propensos a vir a encarar textos meus ou mesmo apenas me ver outra vez.

Mas não fumei. Voltei aqui para a frente do teclado e recomecei a escrever. A mão ainda tateia o ar, na busca do maço de cigarros que ficava sempre aqui ao lado esquerdo, vem a sensação canalha de que respirar mesmo seria dar uma boa tragada, mas consigo segurar. Pode ser lugar-comum, mas é verdade, como, aliás, a maior parte dos lugares-comuns: vontade é uma coisa que dá e passa. A qualquer hesitação no texto, qualquer idéia menos clara, vinha um cigarro, a ponto de por vezes haver três ou quatro acesos no cinzeiro. Mas dá e passa, passa cada vez mais. E continuo firme na resolução de não me tornar um cigarrelho, um desses caras que começam a ter uma crise de tosse convulsiva, no momento em que vêem alguém acendendo um cigarro a 20 metros de distância. Ou um nicotinelho, que passa a maior parte do escasso tempo que lhe concedem falando em como o cigarro enfraquece, o cigarro enruga, o cigarro é broxante, o cigarro incendeia colchões, o cigarro só não faz é enfiar-se onde todo mundo que o ouve gostaria que se enfiasse.

Não me envolvo com o cigarro alheio e apenas — coisa estranha, que não aconteceu das outras vezes em que tentei — comecei a achar meio besta o sujeito ficar acendendo um tubinho de papel com palha dentro, chupando, inspirando e soprando fumaça, mas não chego a me incomodar. De resto, devo repelir a falsa modéstia e afirmar que, apesar de me encontrar entre os decanos da minha mesa de boteco (embora seja todo mundo mais ou menos do meu tope, uns dois aninhos a menos aqui e acolá) e considerar qualquer exercício físico uma forma de mortificação execrada pelo Criador como invenção do Inimigo, figuro entre os de melhor forma. Barriga, claro, não vale, e levar em conta pelanca no pescoço é considerado golpe baixo. Estou em primeirão ou entre os primeiros nas melhores posições de colesterol, glicemia, ácido úrico, PSA, transaminase — podem vir de lá, que eu encaro. Outro dia cotejei laudos de exames com Carlinhos Judeu, que se auto-intitula o *pole position*, e não teve nem graça, foi um banho. Só ganhou de mim na dedada, porque a deste ano ele tomou antes de mim, foi um descuido de minha parte.

Mas eis que, assim vendendo saúde, sou surpreendido com a notícia de que os americanos descobriram que a taxa de colesterol ruim atualmente definida como aceitável ou desejável é muito alta. Devia ser 70, ou coisa assim. Foi um golpe, como já fora um golpe minha pressão de 12 por 8 ser agora também alta demais. Me consolei um pouco com meu cardiologista, que não parece ter botado muita fé na descoberta. "Deve ser para vender remédio", disse ele. "Só pode ser, 70 já é sacanagem." Bem, de qualquer maneira, é chato. Quando a gente pensa que está numa boa, tendo uma grande qualidade de vida, sem fumar, sem beber, sem perder noite, comendo basicamente capim com carnes esdrúxulas e os resultados dos exames representam o prêmio pelo tremendo esforço de reportagem, vêm os caras e estragam tudo. Deprime um pouco. E não que eu vá mudar de idéia quanto ao cigarro, porque continuo apegado à opção de respirar, mas não deixa de me provocar uma atitude, digamos, filosófica pensar no que me disse outro companheiro de boteco, que é até um pouquinho mais velho que eu e continua fumando o tempo todo.

— É — disse ele. — Você fez bem. Sua cova vai ser na ala dos não-fumantes do cemitério.

A Família Moderna num Boteco do Leblon

Hoje eu saio antes das três, tenho de voltar cedo pro receio do lar. O negócio agora lá tá complicado, o esquema do fim de semana mudou.

— O "receio" do lar, é? Essa eu nunca tinha ouvido, é muito boa. De fato, você tem razão, não é mais o recesso, como já foi. Receio do lar, é isso mesmo, de certa forma você tem razão.

— De certa forma, não. Eu tenho razão. E tu te prepara, porque a barra vai pesar pro teu lado também. Não tou rogando praga, mas te prepara, porque vai pesar pro teu lado também, é a realidade. Não é mole, meu camaradinha!

— Teu prédio já foi assaltado?

— Não, só arrombado. Dois apartamentos, tudo dentro da normalidade. Mas eu não estou falando em segurança, é outra coisa. Agora, são mais quatro lá em casa e, nos fins de semana, às vezes oito, dez, doze, sei lá, já desisti de contar, só sei que cada fim de semana parece que aumenta mais.

— Mas eu pensava que agora você só estava com a Regininha e o Lauro. A Laís não está casada há não sei quanto tempo e o Lúcio também não é casado já há mais de cinco anos?

— Tu tá por fora. Aliás, eu não posso reclamar, porque fui eu mesmo que resolvi não te contar. A gente vem pra cá no fim de semana pra esquecer esses troços, esquecer um pouco a vida, jogar conversa fora.

— Eu sei, mas tu devia ter me contado. Amigo é para essas coisas.

— É, tudo bem, eu conto, mas é só desabafo mesmo, porque ninguém pode fazer nada. A Laís descasou. Você não pode acreditar e nem eu vou contar tudo agora, porque estou com preguiça, mas descasou porque o marido descobriu que é boiola. Tu vê um cara de mais de 30 anos, que namora, faz filhos e aí chega pra mulher de repente e fala que a dele é homem, que arrumou uma paixão e vai se mandar. E se mandou, está vivendo com um cara que só você vendo, um gordo careca, de bigode, só você vendo. O plano deles é casar legalmente, já disseram que estão na batalha.

— Mas, mas... Eu estou aqui segurando o queixo. O marido da Laís...

— Já te falei que não vou contar agora, depois eu conto, é muito comprido. O fato é que a Laís descasou e o que é que deu? É isso mesmo que tu tá pensando, ela e os dois filhos. Tá tudo lá em casa agora.

— Mas tu falou que são quatro e aí só são três. O Lúcio continua na dele, né não? Outro dia, ele passou por aqui, mas não entrou.

— Não entrou porque tá duro e é orgulhoso, como no tempo em que era executivo. Se ele viesse aqui, eu ia ficar com pena e pagava, mas ele é orgulhoso. E também tem um pouco de vergonha com o que já anda me fazendo.

— Mas o que é que ele aprontou? Ele sempre foi um rapaz equilibrado.

— Bem, agora está meio desequilibrado. Desempregado, sabe como é. Eu aí dou uma mesadinha a ele, o que eu posso, até porque a pensão dos filhos dele não é fácil, a Tina botou pra quebrar em cima dele, não sobra quase nada no meu orçamento depois de pagar essa pensão.

— Ué, e é tu que paga a pensão?

— É, cara, ele não pagava e aí o juiz decretou que os meninos não podem ficar sem pensão e quem paga sou eu. Agora tem essa graça: o cara faz filho, não tem dinheiro e a Justiça diz que quem tem de bancar é o avô.

— É, não deve estar sendo mole mesmo. E o Lauro não ia casar? Pelo menos, quando ele casar, é um que sai.

— Ia casar. Ia! Agora não vai mais. Andou lendo uns livros e umas reportagens de jornal e entrou numa de metrossexual.

— O que é metrossexual, não vem me dizer que ele também...

— Não propriamente, ele se enfeita muito e vai a salão de beleza, mas é homem. É uma espécie de galinhagem com nome artístico. O cara fatura as que pode, a mulher dá pra quem acha e é tudo metrossexual, por aí. E ele também diz que é de uma categoria moderna de filho, que demora pra amadurecer. Vai fazer 29, mas diz que não saiu da adolescência, é carente e dependente. Tem até um nome pra isso, te prepara aí: ele diz que é adultescente.

— Como é que é?

— É isso mesmo que tu ouviu, adultescente. Parece adjetivo de doença venérea de antigamente, mas é isso mesmo que ele diz que ele é. Mesada também, roupa pelo chão, esculhambação no banheiro, casa, comida, roupa lavada... E ele diz que não tem previsão para sair da adultescência, diz que já leu que tem gente que passa dos 35 nessa. A tua filha já vai casar, não vai?

— Vai, sim. Essa não me dá preocupação, ela não é adultescente.

— Tudo bem, aguarde a separação e a volta. Tu vai fazer a mesma coisa que eu vou fazer agora, depois que acabar este chope. Eu tou indo pra casa pra treinar mudar fraldas. Nunca acertei direito e a Regininha diz que não é justo que ela mude as fraldas sozinha, com aquela coluna estourada, ela tem razão.

— Ô, e a Laís não faz isso, não?

— Não muito. Durante a semana, ela sai pra batalhar emprego e no fim de semana parte pra gandaia, deixa os meninos conosco. Ela diz que é muito jovem pra morrer pro mundo e que cuidar dos netos dá sentido à vida. Tu sabe mudar fralda? Então vai aprendendo, hoje em dia é fácil, com as descartáveis. E também vai treinando dormir com choro de neném de trilha sonora. E vê se arruma um fone de ouvido pra assistir tevê tarde da noite sem acordar os meninos. E vê se aprende um método para decorar os nomes das mulheres que teu filho vai levar pra traçar em tua casa na adultescência. E vê se tá tudo legalizado no teu nome e no da tua mulher, pra eles não tomarem. Tem que se adaptar, cara, família é família.

O Caso do Papagaio Zé Augusto

Eu já contei esse caso do papagaio Zé Augusto algumas vezes, mas ninguém acredita. Felizmente, tenho testemunhas. Não somente a família toda é testemunha, como alguns amigos, que tiveram a oportunidade de ver Zé Augusto depois que ele chegou aos paroxismos do vício, por assim dizer. É uma história triste.

Lá em casa, sempre tivemos bichos doidos. Uma vez, por exemplo, quando a gente morava perto de Cotinguiba, em Sergipe, meu pai pegou um torrão de barro pequeno e o jogou num pinto já meio frangote, que estava ciscando uma plantinha de estimação. Aconteceu que o torrão pegou na cabeça do bicho e ele ficou maluco, deu muito trabalho depois. Para comer era uma dificuldade, porque ele partia para a comida de marcha a ré e considerava necessário fazer umas piruetas antes de bicar o milho. E ele sempre errava de milho, era uma produção muito grande dar comida a esse frango. Mas cresceu, ficou um belo galo e se dava muito bem com toda a família. Todo mundo gostava dele, apesar do problema que ele tinha na idéia. Até com as galinhas ele se dava bem, embora errasse bastante (meu pai dizia que não era erro, era porque o bicho era inovador) e tivesse sido, provavelmente, responsável por vários escândalos naquele galinheiro. Morreu de velho. Segundo minha mãe, muito feliz, porque não sabia que ia morrer e até a última hora ficou dançando aquelas dancinhas dele, ninguém dizia que já estava nas últimas.

Desta forma, não se estranhou Zé Augusto. Zé Augusto era um papagaio azul que deram de presente a meu pai e que só falava "Zé Augusto". A gente mostrava esse papagaio a todo mundo que aparecia, porque ele tinha um ar muito inteligente e, quando se perguntava como era o nome dele, ele respondia "Zé Augusto". Mas depois não dizia mais nada e a pessoa ficava decepcionada. Minha irmã hoje acha que era um problema de temperamento difícil mais do que propriamente limitação de recursos, embora não se possa ter certeza, a esta altura.

O fato é que Zé Augusto vivia ali, na dele, num poleiro instalado junto do tanque de lavar roupa, onde havia uma tomada para máquina de lavar roupa, sem máquina de lavar roupa. Não incomodava ninguém, passava o dia inteiro comendo as comidinhas dele e balançando a cabeça. Na realidade, ele balançava tanto a cabeça que só podia ser de desgosto ou de desilusão, hoje é que a pessoa entende. Mas, um dia, minha irmã anunciou à mesa:

— Minha mãe, Zé Augusto está tomando choque. Já peguei uma ou duas vezes.

Minha mãe pediu esclarecimentos. Aconteceu que o papagaio roeu a tomada e agora, assim umas três ou quatro vezes por dia, olhava para um lado, olhava para o outro, e enfiava a língua no fio descoberto, para tomar choque. O choque devia ser um grande barato, porque ele ficava arrepiado, se tremia todo, largava o fio e passava os próximos cinco minutos agitadíssimo, percorrendo nervosamente o poleiro de ponta a ponta. No começo, minha mãe teve uma certa tolerância. Houve pelo menos uma vez em que eu quis levar uns amigos para mostrar o truque do "como é seu nome", e ela mandou que eu esperasse.

— Espere mais uns quinze minutos, eu acho que está na hora do choque dele.

E, de fato, ele ficava acanhado, no começo, em tomar o choque na frente de visitas, ou mesmo de alguém da família que estivesse observando muito de perto. Só quando a pessoa não desistia mesmo é que ele acabava não agüentando e tomava o choque de qualquer jeito, mas ficava de péssimo humor, ameaçava bicar quem estivesse por perto e dava até uns gritos, coisa que, justiça seja feita, ele só fazia quando o chateavam demais.

O problema, entretanto, surgiu quando ele passou a tomar um número cada vez maior de choques. Nos últimos dias, era praticamente um choque de cinco em cinco minutos, uma coisa triste de se ver. As penas começaram a cair, nem mesmo "Zé Augusto" ele falava mais, comia pouco, suspirava, interrompia qualquer tentativa de aproximação com um novo choque, e assim por diante. Minha mãe tentou recuperá-lo, conversava com ele, tinha paciência, mas nada adiantava. Quando a gente tentou cobrir o fio com fita isolante, ele só faltou botar a casa abaixo com a gritaria que fez, além de ter reduzido a picadinho a pouca fita isolante que conseguimos botar. Era um caso perdido. Num belo domingo, lembro como se fosse hoje, minha mãe comunicou à hora do almoço que ia dar Zé Augusto, já tinha encontrado quem quisesse e essa pessoa já sabia do problema dele.

— Eu, particularmente — disse minha mãe —, acredito que não adianta afastar Zé Augusto dos choques muito repentinamente. Ele pode ter um trauma. Então eu expliquei que devem fazer a coisa com cuidado, gradualmente. Mas o que eu não posso é ter um animal viciado em casa, é um péssimo exemplo para as crianças.

— Principalmente porque não fala nada — disse meu pai, e nunca mais nós vimos Zé Augusto.

Sete de Janeiro

Já escrevi, aqui e em não sei mais lá em quantas publicações, a respeito do Sete de Janeiro, mas receio que bem poucos lembrem qualquer coisa da verdadeira data magna da independência brasileira. Meu avô, o coronel Ubaldo Osório, historiador, patriota e orador cívico, nunca se resignou com tal injustiça e quem o ouvia desdenhar do Sete de Setembro logo se contaminava com sua indignação. Devia ser feriado nacional, pois é a data em que os itaparicanos expulsaram definitivamente o opressor lusitano e a ilha se tornou, no longínquo 1823, quiçá o primeiro solo realmente brasileiro. Bem sei que outras cidades, notadamente no Recôncavo Baiano, reivindicam a mesma glória, mas advirto aos que assim pensam, em qualquer parte do orbe terrestre, que o fantasma de meu avô, com o sobrolho cerrado e as bochechas panejando de cólera, virá assombrá-los, tão certo quanto o domingo vem depois do sábado.

O coronel Ubaldo, também aqui já ocasionalmente mencionado, era um homem de convicções sólidas e enérgicas. Convicções tão enraizadas que, de forma para mim admirável, a realidade não as alterava em absoluto. Por exemplo, ele nunca acreditou na existência da televisão. Quando a televisão chegou à Bahia, aí pelo começo da década de 60, a família, mesmo acossando-o em massa, jamais conseguiu que ele assistisse a um segundo de televisão. Não podia evitar ver os aparelhos desligados, mas escutava com mal disfarçado desdém explicações de como ali apareceriam pessoas, paisagens vivas e assim por diante.

— Creio, creio — dizia ele volta e meia, tentando despachar o palestrante. — Creio muito.

— Não, o senhor está duvidando, eu conheço o senhor. Mas é verdade. Eu vou ligar um instantinho para o senhor ver.

— Não ligue esta merda, que eu saio desta casa e nunca mais ponho os pés aqui!

Pronto, ninguém ligava. E, se ele, nas raríssimas ocasiões em que passava alguns dias conosco (levava garrafões de água da ilha, pois não bebia água nenhuma que não fosse de lá, nem mesmo em forma de chá), notasse que estavam assistindo à televisão na sala, não passava por lá. Se tinha de passar, passava olhando ostensivamente para o lado e cantarolando, certamente para encobrir o som que saía do aparelho. Se já estava na sala e alguém ligava a TV, saía imediatamente. Se insistissem, usava uma variante da defesa padrão.

— Creio, creio — repetia, já fora da sala. — Creio muitíssimo. Um dia destes eu assisto com vocês, podem deixar.

Nunca assistiu, é claro, assim como nunca tocou em qualquer aparelho elétrico. Não precisava estar ligado a nenhuma tomada. Ele não queria aproximação e, quando precisava sair com uma lanterna de pilha para iluminar o caminho, chamava um dos numerosíssimos membros de seu *staff*, porque ele mesmo não punha a mão naquele negócio. Quando a prefeitura de Itaparica instalou um gerador a óleo que fornecia energia do escurecer até mais ou menos as dez da noite, minha avó, sob os resmungos dele e ameaças de se refugiar na fazenda para nunca mais voltar, pôs lâmpadas na casa. Ele acabou gostando, porque tornava ler bem menos penoso que à luz de um candeeiro, mas jamais chegou perto de um fio ou interruptor. Chamava alguém.

— Acenda a lâmpada incandescente — dizia ele, visivelmente tenso e ansioso enquanto a operação não chegava ao final, e hoje tenho a impressão de que achava que, daquela vez, alguma coisa ia explodir.

Tampouco achou necessário viajar a lugar algum, embora falasse com desenvoltura sobre cidades, costumes e até comida de outros países. Mas nunca saiu da ilha e, quando lhe diziam que havia praias bonitas em outros lugares, praias até mais bonitas que as da ilha, afirmava que se tratava de uma impossibilidade e encerrava severamente a discussão. A mesma coisa quando lhe falavam sobre avanços tecnológicos que nem pensávamos em ver ainda. Sentenciava que era tudo mentira e proibia que o interlocutor continuasse a perturbá-lo com aquela conversa para néscios. Uma vez um sujeito quis tirar o que na época se chamava "um instantâneo" de meu avô (que não era tão instantâneo assim, porque as máquinas ainda tinham muitas limitações e às vezes os preparativos demoravam) e foi posto para fora de casa. Ele só admitia ser fotografado depois de fazer a barba, tomar um banho e se arrumar com paletó e gravata e um toque de água-de-cheiro, que minha avó nunca esquecia. Tirar retrato só limpo e cheiroso e bem apresentado.

E assim viveu meu avô. Já em dezembro se ouviam, num murmúrio ininteligível, as palavras candentes com que ele falaria aos conterrâneos sobre o orgulho de ser brasileiro e o orgulho de, como se isso não fosse suficiente, ser itaparicano. Escrevia às vezes andando pela casa e fazendo pausas súbitas, em que uma palavra mais sonora ou um jogo sintático feliz o deixavam quase em êxtase. Só não conseguiu que o Sete de Janeiro virasse feriado nacional e muito menos da Independência.

Quer dizer, isso até hoje. Porque hoje, levantada a bola da data, não vou deixar nem que ela toque no chão, emendo direto: amanhã é feriado nacional, a verdadeira data da Independência. Engulam esta, fluminenses, cariocas, paulistas, mineiros ou quem mais se apresente. Pronto, vô, está feito, a verdade foi finalmente proclamada numa gazeta de grande circulação, no melhor país do mundo, como o senhor sempre quis. E continuamos a ser o melhor país do mundo. Para os mesmos, mas melhor ainda que antes.

O Eterno Feminino num Boteco do Leblon

— O cara que aparecer na minha frente pra me dizer que compreende as mulheres, eu primeiro falo que ele é um mentiroso sem-vergonha e, se ele não gostar, eu meto a mão na cara dele, podes crer. Ninguém jamais entendeu, ninguém entende, ninguém jamais entenderá.

— Não sei se eu concordo. Se você pensar bem, ninguém entende o ser humano. E a mulher, como ser humano...

— Mulher não é ser humano! Tu já começa com a afirmação errada, mulher não é ser humano, é outra espécie! E que por sinal sempre se deu muito melhor do que nós e agora está se dando ainda melhor. Você sabe o que é que nós, homens, somos? Nós somos vassalos, é o que nós somos e sempre fomos! Vassalos, escravos, abaixo de escravos, propriedades imobiliárias!

— Você já deve ter chegado com umas duas no juízo, já deve ter passado no Azeitona antes de chegar aqui.

— Nada disso, meu caro amigo, estou chegando diretamente do recesso do lar, este é o meu primeiro chope e, se Deus quiser, não há previsão para o último.

— Não é isso, é porque tu até pode não ser um intelectual, mas...

— Não me xinga! Se tu me chamar de intelectual eu rompo contigo, intelectual um cacete, eu tenho horror desses caras, devia estar tudo numa fazenda, pegando na enxada e dizendo as besteiras deles às vacas. Intelectual é uma merda, intelectual...

— Tudo bem, mas você sabe perfeitamente que as mulheres sempre foram oprimidas e discriminadas. Essa liberdade é recente, é uma conquista que resultou de muita luta.

— Tudo chute! Elas sempre estiveram por cima da carne-seca! Sempre foram elas que mandaram! Eu não vou nem discutir isso com você, qualquer historiador desmoraliza o que tu falou, eu mesmo tenho um livro lá em casa que tu cai o queixo. E, além disso, não me interessa, eu não sou progressista como você, nem nesse nem em outros pontos, tu é que sempre tá querendo mostrar sintonia com as últimas do momento, tu sempre foi assim desde o "paz e amor", desde até "a família que reza unida", eu te conheço.

— Não, eu procuro me manter atualizado, a realidade muda, nossas opiniões também têm que mudar.

— As minhas, não! Eu continuo do tempo em que mulher não tinha direito a TPM! Aliás, nem existia TPM, era tudo considerado frescura e cólica menstrual era psicológica, tudo pra aporrinhar o homem. Aliás, mulher não fica doente, tudo é pra aporrinhar o homem. Esta é uma grande verdade, mulher não fica doente.

— Cara, tu tá me dando um susto, tu não tá falando sério. Tu deve é ter tido uma briga feia com a Solange e aí...

— Claro que eu tive uma briga, é muito simples. São 38 anos de casado, 32 morando aqui no Leblon praticamente no mesmo lugar e hoje, pela primeira vez, eu resolvi responder ao discurso que ela faz há esses 32 anos, toda vez que eu saio pro boteco. Aí não deu papo e eu já cheguei aqui neste estado, minha pressão deve estar batendo nuns 20 por 14. E minhas duas filhas estavam lá, estava a Vanessa, minha nora, todo mundo contra mim, é claro.

— Mas então tu deve ter dito alguma coisa muito ofensiva.

— Disse zorra nenhuma! Tu já experimentou encarar um coral de jararacas te esculhambando com o que elas lêem nessas revistas que deviam ser proibidas? Nem Mussolini encarava! E era capaz de me cobrirem de porrada, não duvido nada!

— Mas que exagero, cara, tu tá transtornado, tu...

— Tou! Tou! Tou transtornado! Tou mesmo! Eu sou de outro tempo, minhas convicções são outras, que, aliás, são também a da maioria, só que todo mundo é covarde e hipócrita e fica repetindo essas babaquices pra fazer média socialmente.

— Não é nada disso, tu tá enganado.

— Eu não tou nada enganado! O Lula tinha toda razão, quando improvisou que elas andam muito ousadas e daqui a pouco aparece uma querendo ser presidente da República.

— Ah, isso também já é preconceito demais. Aliás, a tendência é essa mesmo, já tem havido muitas mulheres governantes, a Golda Meir, a Indira Ghandi, a Margaret Thatcher... O que o Lula falou...

— ... Tá certo! Ele tá certo! É o que todo mundo pensa e não tem coragem de dizer e aí ele vai lá e fala. Aliás, eu queria lhe dizer que eu sou a favor do que ele diz e sou improvisista de primeira hora. Ele diz o que o povo pensa, é isso mesmo, só quem não gosta é intelectual e veado, que, aliás, é mais ou menos a mesma coisa, se tu for olhar bem olhado, é tudo meio boiola. Eu sou improvisista convicto. Mulher, meu amigo, deixou desencostar a barriga do tanque, tá lascado. Ele tem mais é que abrir o bocão e dizer o que todo mundo pensa ali, pão, pão, queijo, queijo.

— Mas ele não fala contra as mulheres e tem mulheres trabalhando com ele, inclusive no Ministério.

— É a política! A política é que obriga ele, ele não é burro e não vai dar essa mancada de falar contra elas. Mas duvido que ele não pense igual a mim, ele fala o que o povo pensa, essa é que é a verdade, é por isso que todo mundo gosta dele e só a baitolada intelectual e da imprensa é que não gosta. Por mim ele tá reeleito, só não tá se abandonar o improvisismo.

Colhudeiros da Ilha

A PALAVRA "COLHUDA", que eu saiba, não está nos dicionários. É quase sempre pronunciada "culhuda", mas creio que, se a etimologia dela é a que você e eu estamos pensando, a grafia correta deve ser a que escolhi. E, também que eu saiba, se restringe à Bahia. Creio tratar-se de uma palavra muito útil. Antigamente sua, digamos, baixa extração a bania do convívio social mais fino, mas hoje ela é aceita, ganhou trânsito quase totalmente livre, faz parte do vocabulário geral e, no meu parecer, é uma contribuição que o baianês dá ao português falado no Brasil.

Que eu saiba de novo (vou parar com isto; todo mundo já sabe que eu não sei nada mesmo), essa palavra tão, perdão, plurívoca, não tem equivalente. Nenhum sinônimo possui sua riqueza conotativa, que muitas vezes é modificada quando ela é pronunciada junto com um gesto qualquer. Para compreendê-la de todo, o convívio é indispensável. Mas pode-se dizer, simplificando bastante, que a colhuda é a mentira desinteressada, ou interessada sobretudo em enaltecer, direta ou indiretamente, o colhudeiro. É freqüente que o prazer dele resida muito na apresentação da história, na sua quase encenação. Um bom colhudeiro tem o seu valor e, sem um ou dois, nenhuma boa mesa de boteco é completa. Eu, ficcionista profissional, sou o da minha, claro.

Todo mundo conhece um ou vários colhudeiros. Poderia mesmo dizer, sem medo de errar, que há um colhudeiro perto de você. Ou você não conhece pelo menos um cara que, quando qualquer pessoa narra uma experiência incomum, tem sempre uma história parecida para contar, somente um tantinho diferente da anterior, se possível para melhor? Há até mesmo duelos de colhudeiros, porque já sentei a mesas onde dois ou três deles se entrechocavam incessantemente, em meio a colhudas das mais cabeludas, maravilhando a todos com sua inventividade. E também todo mundo conhece o colhudeiro que meteu o dedo na cara do desembargador Sicrano ou do general Beltrano, o que já viveu uma vida de inexprimível dissipação e luxúria na companhia das melhores mulheres do Rio de Janeiro daquela época, a que não pode ir a uma festa desacompanhada porque a azaração em cima dela se torna insuportável, o que já viajou mais de uma vez numa espaçonave alienígena, e assim por diante.

Itaparica, como não podia deixar de ser, sempre contou com colhudeiros de escol. No tempo longínquo em que a luz era fornecida pelo gerador da prefeitura e só durava do anoitecer às dez ou dez e meia da noite, até às onze nos sábados, se bem me lembro, os colhudeiros desfrutavam de grande prestígio, alguns especializados em pescarias e aventuras marítimas, outros versados em mulheres de todos os tipos, ainda outros mais ou menos ecléticos. Veio o rádio, depois a televisão, o colhudeiro perdeu platéia, embora, é claro, não tenha morrido, apenas se adaptou às novas condições.

Mas meu amigo Xepa não é colhudeiro. Sério mesmo, Xepa é uns meses mais moço que eu (ô, pretensão, quero dizer menos velho), somos amigos desde meninos e ele nunca foi tido como colhudeiro. Na nossa geração, descontando meu caso profissional, há diversos colhudeiros de renome, alguns, diria eu, até mesmo comparáveis aos colhudeiros do governo, se bem que Sebinho de Eusébia diga que não há melhores colhudas que as colhudas do presidente — segundo Sebinho, tão bem contadas e com tanto sentimento que chegam a partir o coração. Graaaande colhudeiro, diz Sebinho. Do legítimo, que a pessoa jura que ele está acreditando na própria colhuda, a pessoa tem que ter admiração. Mas isso é lá com Sebinho, eu mesmo é que não estou chamando o presidente de colhudeiro, deste teclado jamais saiu tal alegação.

Estou é preocupado com a reputação de Xepa porque escrevi aqui que ele me contou que um amigo dele tinha fisgado um tatu com uma varinha de pescar carapicu, um peixinho miúdo que a gente trata, tempera com uma besteirinha de sal, cobre de farinha e frita, ele fica crocante e todo mundo come com cabeça, espinha e tudo — quem não comeu "ainda não apreceiou a vida", como dizia o finado Lourival, embora se referindo a outra atividade humana. Aqui no Rio, quando contei essa história no Tio Sam (não, também não recebo um estipêndio para divulgar o Tio Sam, mas admito que penduro uns troços lá), Felipe Palácio, que gosta muito de curtir com a cara dos outros e anda com umas companhias estranhas, como Borges, Lilico e Boneco, cujas histórias escabrosas um dia eu conto aqui, Felipe Palácio, dizia eu, que já conhece a expressão, afirmou em alto e bom som que esse tal Xepa era colhudeiro.

Injustiça, injustiça, coisa de quem vive em palácios e não conhece o povo, como os dois autores da colhuda da baleia, hoje espalhada pelo mundo como piada que talvez até você já conheça. Deu-se que Miltinho de Carmelita, renomado colhudeiro da ilha prematuramente falecido, estava palestrando com Nadinho Damásio, santo-amarense e igualmente finado, e este lhe contou que tinha testemunhado um fato tremendo. Não é que ele estava em Santo Amaro, tomando umas cervejas perto da boca do rio Subaé, quando uma baleia enormíssima saiu do mar, se arrastou rio adentro e caiu de boca nos canaviais, uma coisa jamais vista sobre a face da Terra? A desgraçada da baleia não quis nem saber, mascou e chupou pelo menos uns quatro canaviais até voltar com o bucho cheio para a baía de Todos os Santos. Mas erra quem pensa que, como bom itaparicano, Miltinho envergonhou a ilha. Com a maior calma, ele retrucou, sem usar propriamente a palavra que aqui emprego depois do "no":

— Ah, eu sei qual é essa baleia. É uma que eu vi na festa da Conceição da Praia, com uma torneira enfiada no traseiro e vendendo caldo de cana, agora eu entendi!

Não Esquentemos a Cabeça

Meu saudoso amigo Luiz Cuiúba, quando provocado a falar sobre mim, citava sempre d. Madalena, nossa professora. "Ele é boa pessoa, não se vai negar", afirmava Cuiúba. "Mas d. Madalena cansava de dizer que ele tem um problema na idéia, e quem conhece ele sabe que é verdade." E, claro, amigo e professora de infância sempre têm razão quando opinam sobre a gente. Eu, lamentavelmente, padeço de um problema na idéia desde pequeno. Já desisti de consertá-lo, até porque ele é difícil de caracterizar, se disfarça muito.

Bem verdade que quem sai aos seus não degenera e meu avô materno, o combativo quão poderoso coronel Ubaldo, da mesma forma já mencionado aqui em outras ocasiões, também tinha, vamos admitir com franqueza, um problema na idéia. Tanto assim que, de vez em quando, a cabeça dele esquentava a tal ponto que ele intimava o primeiro infeliz que passasse por perto para abanar-lhe a careca enquanto durasse o surto de esquentamento.

Ventilador, nem pensar, pois ele abominava toda e qualquer coisa que tivesse a ver com eletricidade e jamais tocou em nada elétrico na vida, nem interruptor de luz — ordenava a alguém que acendesse a luz.

E certamente devo chamar a atenção para a circunstância de que os leitores também já devem ter observado esse meu problema, embora só muito poucos tenham tido a oportunidade de testemunhar as fofas (pronuncia-se "fó-fa", com o "o" aberto e, já que estamos perto de mudanças ortográficas, tomarei a liberdade de doravante grafar "fófa") que, quando o esquentamento na cabeça não era superado, acometiam tanto meu avô quanto hoje a mim. A fófa consiste em cair prostrado na cama em decúbito ventral, revirar os olhos e bufar freneticamente com os lábios e o queixo tremendo. Para tratar meu avô, bastava um vidrinho de leite de magnésia de Phillips, a última novidade da medicina que aceitou, até morrer de velho. Mas não tomava o remédio nunca, apenas se acalmava aos poucos, olhando para o vidrinho azul. Minhas fófas, receio eu, já se globalizaram, mas a metodologia permanece a mesma. Me receitam bolinhas, eu leio as bulas, não tomo nada e acabo me desfofando.

É difícil, pelo menos para os fofistas que creio também haver entre vocês, ler um jornal ou assistir a um noticiário de televisão sem pelo menos esquentar a cabeça. Infelizmente, não conto com um pelotão de abanadores de careca como meu avô, mas, em compensação, não tenho medo de objetos movidos a eletricidade e sou homem de, em momentos mais sérios, quase enfiar a cabeça por um condicionador de ar adentro. Estou sem fófas desde o início do ano. Não sei se é porque o governo não começou ainda, e é possível que o presidente não tenha terminado de achar todos os que o desancaram para dar-lhes ministérios e assim desmascará-los, mas o fato é que, apesar de certos eventos, ainda não deu para uma fófa.

Mas para esquentar a cabeça, sim. Não é possível que as cabeças de vocês também não esquentem, com as notícias que a gente ouve e lê. Por exemplo, a economia vai mal ou bem? As notas, reportagens e até releases disfarçados por vezes se contradizem na mesma página de jornal, ou no mesmo noticiário de tevê. Estamos ameaçados de apagão ou não? Temos a infra-estrutura para crescer economicamente ou não? Vai ser minorado o problema da violência ou não?

Pelo que se lê ou escuta, não dá para saber. Por exemplo, liguei a televisão e assisti a um senhor muito sério falar em aumento da oferta de empregos no Brasil. Sei que a estatística, como já se disse, é freqüentemente a arte de mentir com precisão, mas, pelo que ele asseverou, estamos bem, estamos muito bem, estamos até atraindo mão-de-obra do exterior, vejam que beleza. E a cabeça pára de esquentar, mas, insensatamente, mudo de canal e pego mais gente falando sobre emprego. Nada disso, afirma logo outro noticiarista, desta feita um repórter conversando com desempregados em todo o Brasil, gente que procura trabalho há anos sem achar nada e ocupações que não existem em outras partes do mundo, como guardadores de lugar em filas, donatários de ruas, praças e calçadas para estacionamento e membros profissionais de partidos que dêem emprego. A necessidade é a mãe da porcaria e por causa dela ficamos nesta situação, digamos, geradora de fófas.

Temeroso, decido desligar a tevê e vou olhar minha fornida e-mailspondência (desculpem, desculpem, não escrevo mais esta barbaridade), para esquecer realidade tão dura. Vejo logo a mensagem de um amigo americano com quem há muito tempo não falo. Vai tudo bem e Larry, o filho dele, está quase para se formar numa universidade. Nos períodos de folga, já encontrou diversos empregos temporários, dos muitos que uma pessoa empreendedora pode arrumar por lá. Vocês vão achar que estou mentindo e por isso, pelo menos num dos casos, mato a cobra e mostro o pau. Não sei o nome do professor que dirigiu o estudo de que Larry foi "freguês", mas o fato é que, há dois verões, ele foi pago para dormir, numa pesquisa sobre o sono. No verão passado, sério mesmo, ele foi, digamos, piloto de provas de camisinhas e, a julgar pelo que me dizem do Larry, deve ter feito algum sucesso nessa condição. E, finalmente, este ano, vai trabalhar rindo profissionalmente, numa tal de Laughter Therapy Enterprises, ou seja, Empresas de Terapia pelo Riso, no Colorado. Quem sabe se, no futuro, ele não ganhará a vida na folgança, rindo durante o expediente e testando camisinhas nas horas vagas? Aqui, penso eu rancorosamente, só quem faz isso é o governo — e em cima da gente, às nossas custas. Alguém aí pode ceder um frasco de magnésia para eu espiar?

Como É Seu Nome Completo?

NÃO HÁ DE haver profissão mais louca do que a de escritor. É possível até que, quando me viam chegando de manhãzinha para trabalhar no meu "escritório" de Itaparica, os freqüentadores da Praça da Quitanda pensassem em que vida mansa eu tinha, de bermudas e chinelos sempre aproveitando qualquer pretexto para, antes de subir, ficar por ali prosando sobre a tarrafa de Luiz Cuiúba ou as galinhas de Zé de Honorina, como quem não tinha pressa nem obrigação. Além disso, era tão comum que, depois de passar uma meia hora lá em cima, eu descesse outra vez para ficar zanzando pela praça ou pela beira do cais, que muitas vezes me perguntavam se eu estava trabalhando mesmo.

Mal sabiam eles que, lá em cima, olhando para uma montanha desorganizada de papéis e entulhos variados, eu tinha acabado de concluir pela enésima vez que aquilo tudo era uma maluquice, que não estava entendendo nada e que jamais seria capaz de escrever uma outra linha, quanto mais concluir o livro que, fazia quase um ano, prometia à editora que entregaria "para o mês". Que sentido tinham aquelas garatujas todas, lauda após lauda de uma história que eu estava tirando não sabia de onde, gente que não existia e cujos sentimentos e ações agora me ocupavam como a um alucinado, personagens que de repente começavam a mandar nos acontecimentos, por que eu não tinha uma atividade decente como qualquer pai de família respeitável? Ainda mais que, no dia anterior, em quase delírio, eu havia mais uma vez assustado a pacientíssima santa esposa com descrições verborrágicas dos maravilhosos feitos literários que brotavam em catadupas da minha máquina inspirada — que confiança, que fé no taco, que certeza de que estava no caminho certo!

Como é que isso acontecia, como é que eu era gênio na quarta-feira e cretino na quinta? Cretino, irremediavelmente cretino, metido até o pescoço num projeto impossível e paranóico, isolado em meio a fantasias estranhas, levantando-me exasperado para ir até a janela e ver a praça, onde as pessoas, placidamente conversando, acreditavam estar cá em cima um escritor com aquela cara de escritor que se vê nos livros, escrevendo agilmente belas palavras e convivendo com as musas. E, ainda por cima, não sou amador, sou profissional, não faço mais nada, não sei fazer mais nada. É possível exercer atividade tão absurda como ofício e meio de vida, isto é normal? Talvez fosse por isso — certamente era por isso — que eu tinha procurado, como procurara muitas vezes antes e continuaria a procurar, adiar o penoso instante em que, nas vascas do cretinismo, teria de subir de novo ao escritório e enfrentar a escrita. Não, não, era uma situação insuportável, o jeito era descer outra vez, carregando todos aqueles personagens na cabeça espremida como um caju, os miolos meio doidos — e ir de novo conversar sobre as galinhas e a tarrafa, de novo mostrar a eles como é amena e descontraída a vida de quem trabalha de bermudas e chinelos. Ou então — por que não? — baixar a cestinha amarrada numa corda que o inimitável Zé de Honorina me providenciou quando montei o escritório, dar um berro para o compadre Bento lá embaixo e pedir que ele, por caridade, encha um copão daqueles de requeijão com alguma coisinha forte e o envie, via cesta, cá para cima. Compadre Bento é sempre prestimoso, especialmente em questões de escrever, porque uma vez, quando eu não conseguia parar de batucar na máquina apesar da presença dele, ocupado em consertar um negócio qualquer no escritório, me viu trabalhando e ficou muito impressionado.

— É trabalho pesado — explicou ele mais tarde à sua santa senhora, comadre Marileide. — Ele bate, bate, destremece todo, dá risada e faz cada careta que só a pessoa vendo. Aquilo puxa muito pelo juízo, coitado.

Muitos acessos de genialidade e cretinismo mais tarde, muitas noites maldormidas e copos de requeijão mais tarde, acabei o livro. Abestalhei, dei para vagar pela ilha como um *zombie*, fazendo perguntas sem nexo aos passantes e achando que nunca mais ia conseguir dormir. Entreguei os originais, não melhorei da cabeça, comecei a esperar que o livro saísse, que alguém lesse aquilo, que eu pudesse tocar no produto final daquele processo enlouquecido.

Ai de nós, escritores, nada se passa tão simplesmente. O livro tem de ir para o editor, tem de ser planejado, composto, revisto, impresso, encapado, encadernado, guilhotinado e não sei mais o quê. Não é como o trabalho de um pintor, que termina o quadro e pode mostrá-lo; não é como o trabalho de um praticante das artes cênicas, que exibe suas artes diretamente, é aplaudido, ignorado ou vaiado na mesma hora; não é como o trabalho de um músico, que toca sua música e presencia seu eco logo em seguida. Nada disso, o trabalho do escritor se multiplica, lentamente, enervantemente, em exemplares e mais exemplares, que são (ou não são) curtidos de forma individual, privada e pessoal — o escritor não sabe de nada do que está acontecendo, não tem um momento de explosão, tem só aquela coisa parada, vagarosa, indefinida. Quando, finalmente, o editor telefona e diz "está pronto, venha ver", já se sofreu tanta agonia que a visão da obra transformada em objeto utilizável pode ser até melancólica. Então é isso? Então foi para isso que me meti em tanta atribulação? O que é isto, que quer dizer, aonde cheguei? Mas só agora você aparece, livro, depois de quase me haver matado? E daí?

E daí que há outras exigências, a que o sujeito não pode furtar-se. Antes mesmo que alguém possa ter lido o livro, há que dar entrevistas, respondendo sobre coisas que não se sabe, eis que o livro só existe intimamente e só revela sua identidade depois de lido pelos outros. Então como é que o escritor vai saber de alguma coisa sobre o livro, antes que o livro realmente exista? Mas é preciso trabalhar e é preciso arregimentar talentos inexistentes para conseguir realizar esse trabalho.

Tal como o talento de dar autógrafos, fazer dedicatórias e ser simpático quando se está nervoso. Mal sei assinar o nome (sou do Norte), não consigo fazer dedicatórias que não sejam "com a admiração do..." e fico nervoso quando mais de duas pessoas me olham simultaneamente. Então me sento lá e, invariavelmente, esqueço os nomes dos bondosos amigos que aparecem nos lançamentos e, crentes de que eu nunca poderia esquecer seus nomes, ignoram os pedidos desesperados que faço ao pessoal que vende os livros para que anotem a lápis os nomes ("pode deixar isso pra lá, ele me conhece") e surgem risonhos, estendendo seus exemplares para que eu os autografe. Dá um branco, todos os nomes vão embora, os neurônios não disparam, a mão na caneta não funciona. Agora mesmo vai haver uma dessas sessões de autógrafos, já prevejo o que acontecerá, a vida do escritor é muito dura, não adianta nem usar truques antigos.

Como, por exemplo, o que eu costumava empregar há algum tempo. Em Salvador, num lançamento um pouco remoto, lembro muito bem que já tinha passado por diversos vexames amnésicos quando se apresentou diante de mim um senhor simpático, me olhando com afeto e até carinho, livro em punho e sorriso encorajador. Eu tinha certeza de que conhecia aquela cara, era com toda a certeza um grande amigo meu, uma pessoa de quem gostava muito — mas quem seria? Como era o nome dele, meu Deus do céu? Vasculhei as gavetas emperradas dos velhos centros da memória, cheguei a perder o fôlego, não adiantou, o nome não vinha. Sorri amarelo e usei o truque que me parecia mais adequado.

— Como é seu nome completo? — perguntei brilhantemente, de caneta em riste e cara hipócrita de quem sabia o primeiro nome.

— Ora, meu filho — respondeu o simpático senhor. — Não precisa pôr nome nenhum. Basta escrever "para meu pai", que está tudo bem.

— Desculpe, papai — disse eu.

Viroses da Vida

HÁ OS MALDOSOS que dizem que eu deveria sempre encerrar minhas crônicas com a frase "desculpem qualquer coisa". Assistir-lhes-á, talvez, razão, como essa mesóclise aí poderá corroborar. Mas começar com "desculpem qualquer coisa" nunca me havia ocorrido até hoje, como está acontecendo agora. Bem verdade que posso gabar-me de mais uma vez ingressar na Galeria dos Heróis Desconhecidos do Jornalismo, informando que, no momento, me encontro acometido de crudelíssima virose e obrigado a violentar o corpo mole, a mente rateante e a vontade de cair na cama para não deixar de cumprir o dever profissional. Mas o leitor não tem nada com isso e, virose ou não virose, é seu direito encontrar no mesmo lugar a coluna que espera, nem que seja para amassá-la como todo domingo, ou novamente declarar no boteco que não vai perder tempo em ler porcaria. O dever do jornalista é multifacetado e até essas pequenas alegrias ele deve, quando pode, proporcionar sem ver a quem, em mundo tão eivado de tragédias e assombrações.

Não, não compareci a nenhum consultório médico para saber que estou com uma virose. Embora para sempre enredado pela invencível malha médica, tenho procurado seguir, na medida do possível, o conselho que um de seus próprios membros me deu. Era como ele mesmo agia. "Quando seu médico disser que quer ver você", ensinou ele, "pegue uma fotografia boa e mande para ele. Hoje em dia, com as câmeras digitais, é moleza. Se ele for do tipo meticuloso, você pode até mandar uma foto diferente todo dia". É verdade, a informática revolucionou a medicina de mil maneiras, até com essa conquista para mim espetacular.

Virose é uma enfermidade produzida por vírus, explica o dicionário. Diz, porém, a nossa experiência que virose é qualquer condição orgânica que nos incomoda e cuja origem o médico não consegue encontrar. Sentimos um mal-estar mais ou menos persistente, vamos ao médico. Ele então nos aplica a medicina moderna, que consiste em nos enviar para a Nasa, ou seja, a um número aparentemente infinito e crescentemente especializado de laboratórios e clínicas, para fazermos exames de nomes extraterrestres. Vamos aos laboratórios, somos submetidos a toda sorte de sevícias e humilhações (entre as quais avulta referirem-se no diminutivo a todas as partes do nosso corpo, inclusive as nossas vergonhas, o que, ao menos no caso dos homens, pode ser ofensivo ou mesmo traumático) e ao médico voltamos, geralmente sem estar sentindo mais nada. Ele folheia os laudos em cinco segundos, pronuncia-nos em excelente condição para nossa idade e nos comunica que fomos vítimas de uma virose. Ouvimos a habitual admonição quanto ao nosso colesterol, somos polidamente descritos como glutões grosseiros e faltos de caráter e voltamos para a mesma vida besta de sempre, só que com o currículo enriquecido com mais dezoito picadas, uma tomografia, uma ressonância magnética, uma endoscopia e talvez dezenas de outras experiências que o pudor e o auto-respeito mandam tentar esquecer.

Mas minha virose, desta vez, foi diagnosticada no boteco mesmo, por um dos muitos médicos que o freqüentam. Ele me deu uma aulazinha sobre o assunto e me perguntou se me vacino periodicamente contra gripe, como aconselha minha condição de idoso e minha aparente susceptibilidade a viroses. Respondi que sim, resignei-me, mudamos de assunto. E tudo, com exceção da virose, desapareceria ali mesmo, se não tivesse surgido um inesperado debate, partido de um senhor que estava sentado a uma mesa próxima da nossa. Desculpou-se por se meter na conversa e fazia questão de ressalvar que não iria manifestar falta de confiança no médico que falara, mas "neles". Não ficou bem claro quem são "eles" e aí deixo com vocês a identificação, reproduzo somente os brados.

— Eu não me vacino! Eles são capazes de tudo! Eu tenho um grupo de estudos que já chegou à conclusão de que eles querem é resolver o déficit da Previdência! E a melhor maneira é botando um negócio na vacina dos velhos! Há dezenas e dezenas de opções ao alcance deles! O velho otário vai lá no posto, toma a vacina e aí tem um treco e abotoa o paletó rapidinho! Aqui pra eles, nenhum de nós toma a vacina!

— Não, desculpe, isso não é verdade. O senhor tem visto as campanhas todos os anos e não morreu velho nenhum por causa da vacina.

— Por enquanto! Isso é até o pessoal pegar confiança. Aí, quando menos se esperar — créu! —, não vai sobrar um velho, pode escrever. E aí eles abrem uma CPI, falam pra cacete e o resultado vai ser criarem um imposto sobre o dinheiro que os velhos deixarem e vai aparecer uma Operação Matusalém para pegar a quadrilha que quer tomar o dinheiro deixado pelos velhos e...

— Não, desculpe outra vez, o senhor deve estar brincando, isso é completamente implausível.

— Implausível? Implausível? Onde é que o senhor mora, tem alguma coisa implausível aqui? No dia em que alguma sacanagem for implausível no Brasil, é porque é implausível no Universo, só assim! Aqui não tem nada de implausível, nem impossível! Eu não tomo essa vacina, não tem quem me faça! Eu tenho é 76 anos desta merda e já vi tudo acontecer aqui, não tem quem me faça tomar vacina deles, nem pra frieira do dedão! Eles é que procurem armar outra, porque pra mim essa não cola!

Lamentável desconfiança, triste sinal dos tempos. Claro que vou continuar a tomar a vacina. Só que, da próxima vez, já mais para perto do fim da campanha, para ver o que aconteceu no começo.

Alegrias da Velhice

ATÉ FICAR VELHO, operação antigamente simples e natural, resumível na venerável sentença "quem não morre fica velho", está se tornando cada vez mais complicado, a ponto de, receio eu, causar algumas crises de identidade nesse cada vez mais vasto contingente da população. Acho que vou sugerir a criação, nas faculdades de Filosofia, de um curso de epistemologia da velhice, porque a confusão, pelo menos entre os menos ilustrados, como eu, aumenta a cada dia. Talvez até os próprios geriatras se beneficiem desse estudo, porque tenho praticamente certeza de que, entre eles, há divergências sobre o conceito de "velho".

A mim, confesso, já enche um pouco o saco esse negócio. Começou, se não me falham os rateantes neurônios, com essa conversa de terceira idade, inventada pelos americanos, que são muito bons de eufemismo, como testemunha a exemplar frase "lide com preconceito extremo", que, dizem, a CIA usava quando ordenava um assassinato. Passou a não pegar bem chamar velho de velho mesmo e agora a velharada é agredida com designações tais como "boa idade", "melhor idade", "feliz idade" e outras qualificações ofensivas. E, dentro dessas categorias, já me contaram que há subcategorias. Ninguém mais é velho, fica até feio o sujeito hoje em dia dizer que é velho.

De minha parte, reivindico apenas alguns direitos, entre os quais devo ressaltar não ser obrigado a entrar na fila dos idosos dos bancos. Aliás, a não entrar em fila de idoso nenhum, a não ser que, na hora, o que raramente sucede, isso apresente alguma vantagem. Fila de banco é uma furada séria, porque não só alguns de nossa variegada turma ou são surdos ou requerem primeiros socorros se começam a lhes explicar o que significa "o sistema caiu", por exemplo. Me contaram que, numa agência aqui do bairro, uma senhora teve um pitaco, porque pensou que isso queria dizer que o banco falira e suas economias de viúva tinham ido juntar-se à vaca no brejo.

Imagino que, pelo tom acima, talvez alguém entre vocês tenha antecipado que vou lembrar outra vez o que Jorge Amado, entre as incontáveis peças de sabedoria que me presenteou ao longo de nossa convivência de décadas, me disse a respeito da velhice. Aliás, vou dar um furo de reportagem — sou do tempo do furo de reportagem, espero ser cumprimentado pela direção do jornal. Jorge não me falou somente uma vez sobre a velhice, embora não fosse seu assunto favorito. Há muitas outras frases, mas não se destaca entre elas somente a que divulguei aqui: "Compadre, já me falaram muito das alegrias da velhice, mas ainda não me apresentaram a nenhuma." Teve outra, saquem agora o tremendo furo: "Compadre, não importa o que lhe digam, a gente não aprende nada com a velhice; a única coisa que a gente aprende com a velhice é que velhice é uma merda."

Entrevendo os setentinha a média distância, temo que, como tudo mais que o compadre me ensinou, isso tudo seja a impiedosíssima verdade. Pode ser que, a depender da categoria empregada, eu não seja velho (cartas sobre o que é ser velho, principalmente as escritas por velhos como eu, que vão dizer que a velhice está na mente etc. etc., para o editor, por caridade), mas, outro dia, não lembro onde, fui descer dois degraus do palco aonde havia antes subido e quatro jovens pressurosas me apararam as costas e me seguraram os cotovelos como se eu fosse um hipopótamo paraplégico tentando um salto ornamental. Eu talvez pareça um hipopótamo paraplégico, mas sou no máximo uma anta com artrite e ainda tenho lepidez bastante para descer um meio-fio com relativa confiança. (A velhice não está na mente, está nas juntas.)

Quanto ao aspecto didático da velhice, também parece confirmar-se o que me falou meu amigo. A vida pode ensinar alguma coisa e geralmente ensina, embora quase sempre a gente aprenda tarde demais — besteira, esse negócio de "nunca é tarde demais", costuma ser tarde demais mesmo. Mas a velhice mesmo só ensina o que ele disse. Certo, talvez eu não seja velho o suficiente para esta confirmação, mas os indícios são claros. Calçar meias, para citar um caso, já me parece uma modalidade olímpica e nem me passa pela cabeça alcançar um centésimo do índice. Um dos meus joelhos volta e meia faz um barulho alarmante, dói uma besteirinha e depois volta ao silêncio enigmático com que minhas noites são atormentadas por visões de ossinhos se esfarelando, enquanto eu vou à banca de jornal. E por aí vai, o pudor me cala.

Mas Jorge não testemunhou o que hoje testemunho. As alegrias da velhice, afinal, não são meramente individuais. E não é que agora vejo o Brasil a transformar-se mesmo num grande canteiro de obras? Falam até que o Bolsa Família será gradualmente extinto, pois o governo vai chamar cada beneficiário e dar a ele um emprego. Claro, não há empregos nem para os que estão fora do BF, mas também não se pode querer tudo. E as coletividades que agora verão instalar-se a concórdia e a prosperidade, através dos Territórios da Cidadania? Até mesmo as eleições municipais, freqüentemente causa de rancor e hostilidade, deverão ser bem mais tranqüilas. E, finalmente, o Big Brother Brazil deixou de ocupar o primeiro lugar entre as contribuições do Brasil para o progresso da Humanidade neste século. Agora, através da visão e da generosidade do Nosso Guia, o Brasil deu um passo muito à frente de Orwell e até do BBB. Não disse ele que d. Dilma Rousseff é a mãe do PAC? O PAC não é o nascimento de um novo Brasil, para o povo e não para a Zelite? Então, além do Nosso Guia, temos a nossa Big Mother. Perfeito, até do ponto de vista psicanalítico. A única desvantagem sobre o BBB é que eles não deixam a gente ver o que eles fazem, mesmo entrando compulsoriamente para o pay-per-view.

O Astro

Sempre enfrentei problemas com a televisão. O primeiro foi que a gente tinha trauma de tevê desde o tempo de Sergipe, porque apareciam fotografias na revista *O Cruzeiro*, de pessoas assistindo à tevê no Rio de Janeiro, e a gente morria de inveja. Quando nos mudamos para a Bahia, também ainda não havia televisão por aqui, de forma que, assim que ela apareceu, eu já com 17 anos, meu pai comprou logo um aparelho e botou na sala. Tinha uma imagem-padrão e uma musiquinha, a gente assistia bastante.

A imagem-padrão era a silhueta de um índio, no meio do que parecia ser um alvo. "Se esse índio se mexer", dizia meu pai quando ia lá dentro, "você me chame logo!". Mas demorou muito para se mexer, o pessoal em casa até ficou meio desestimulado e quase que a gente nem ia mais à sala ver a imagem-padrão, só passávamos umas quatro ou cinco horas por noite espiando. Meu pai não se deixou abater. Boa música, boa música, dizia ele, alisando o aparelho.

Finalmente, os programas começaram. Tinha garota-propaganda (tudo falando carioca e alisando fogões e liquidificadores, era uma coisa emocionante; havia torcidas: eu, por exemplo, gostava mais da moça das lojas Florensilva, mas meu pai se mexia na cadeira quando surgia a moça da loja Duas Américas e dizia "muito bom esse liquidificador, um excelente liquidificador") e apresentadores de paletó e gravata. Vinha gente de fora, também falando carioca e dizendo que o baiano era muito carinhoso e ma-ra-vi-lho-so e a imagem de nossa tevê era a melhor do Brasil e então ficávamos orgulhosíssimos e dizíamos "viu você, viu você?".

O primeiro programa para que me convidaram era um jogo em que as pessoas tentavam adivinhar a profissão de outras pessoas. Cheguei lá de camisa esporte, recebi uma repreenda: volte para casa e vista roupa de televisão, isto aqui é coisa séria. Voltei, vesti a roupa de televisão, e me dei mal, a começar pelo cumprimento, que tinha de ser "boa noite, senhores telespectadores" e eu não acertei a dizer telespectadores.

— Boa noite, senhores tepelespectadores — disse eu finalmente, tendo suores frios.

Minha equipe perdeu, eu enterrei o time. Só me vinha na cabeça "tratorista". "O senhor é tratorista?", perguntava eu. "Não", dizia o entrevistado. "Oh", dizia eu. Mas minha mãe ficou muito orgulhosa e discutiu com uma vizinha que me achou um tanto burro.

Ele não é burro, disse minha mãe, ele é somente meio bobo, é muito diferente.

Depois me chamaram para escrever para a Globo, me deram uma passagem e eu vim ao Rio, carregando uma maletinha de pau-de-arara. Fui para o Jardim Botânico, com a maletinha, às sete e meia da manhã. Achei que impressionaria bem se eu chegasse cedo, e ninguém tinha explicado que o pessoal só acordava depois das duas da tarde. Demorou bastante para me atenderem. Comi um sanduíche no boteco defronte, cortei o cabelo e dei informações a passantes. Às duas horas, mais ou menos, me levaram lá para dentro e me mandaram para o teatro onde gravavam um programa chamado *Satiricon*. Fiz grande sucesso. De vez em quando saía um cara lá de dentro e dizia: "Tudo bem aí, baiano?" Acabei encostando na sala da técnica e Bibi Vogel veio ver uma cena em que ela aparecia. "Você achou que saiu bem?", perguntou ela. "Sim, sim", respondi. "Brigadinho", disse ela, passando a mão na minha cabeça. Jô Soares fez um quadro e me perguntou: "Achou bom, baiano?" Ah, uma beleza, disse eu, e ele falou "olhe aí, ô Vanucci, o baiano achou bom". Durante algum tempo pensei que eles iam me contratar para ficar botando o polegar para cima e dizendo que tinha sido ótimo, mas até hoje não tenho certeza quanto a isto. Por volta das dez horas, voltei para o hotel e, no dia seguinte, para a Bahia. Até hoje guardo gratas recordações desse meu tempo de colaboração com a Globo.

Finalmente, excetuando algumas aparições com Glauber, em que, quando eu vi, tudo já tinha sido gravado, surgi no vídeo em companhia de Marília Gabriela, em São Paulo. Cheguei calmíssimo, com a suéter vestida ao contrário e a barba feita de um lado só, porque o motorista que foi me buscar no hotel estava com pressa. Marília apareceu de repente, coisa que não se faz.

— Como vai? — disse ela, sorrindo.

— Ah, da-da — respondi brilhantemente. — É... sim, ha-ha. Hu... Sim, como não, ha-ha, não? Ho-ho.

— Eu já li seus livros — disse ela, me olhando como quem fala "eu compreendo".

Felizmente, a mão que tremia estava do lado oposto ao da câmera e até que aquela suéter (é de minha mulher) ao contrário dá um certo charme. "Leve ele direitinho", disse Marília ao motorista depois da entrevista, com um ar de preocupação no olhar.

Mas agora não, agora já estou acostumado. Por exemplo, todo mundo viu que eu fui entrevistado outro dia (aqui na Pituba, pelo menos, todo mundo viu) e me saí muito bem. É tudo uma questão de o sujeito estar na terra dele e todo mundo já saber como deve fazer as coisas. Meus agradecimentos à equipe médica da TV-Aratu, aos quatro câmeras e às 18 entrevistadoras, principalmente à que não desistiu. Um dia — é o que sempre digo a meu pai, quando ele pergunta o que é que eu quero da vida — eu ainda saio na capa de *Amiga*.

O Dia em que Eu Fui Fazendeiro no Arizona

ACHO QUE SOU escritor porque tenho tido muitas aventuras. Como lemos desde pequenos em biografias e almanaques, todo escritor vive metido em grandes aventuras, caçando búfalos, lutando boxe, morando entre os esquimós, pegando em armas pela liberdade da Grécia, dormindo com Marylin Monroe e enchendo a cara em companhia de Fidel Castro. Minha experiência de caça se resume a rolinhas fogo-pagou em Aracaju, mas, em compensação, a parte aí do porre com Fidel Castro eu já desempenhei. Não sei se ele notou, mas eu, o poeta peruano Antonio Cisneros e o ator Gianfrancesco Guarnieri (no Peru conhecido popularmente como Panchito Guarnieri) traçamos bem uns vinte *mojitos* cada um, na noite em que Fidel apareceu para charlar na casa do ministro da Cultura de Cuba. Ele não pode dizer que tomou um porre na minha companhia (preferia daiquiris e, comparado a nós, parecia um abstêmio), mas eu posso dizer que tomei um porre na companhia dele. São coisas da existência aventurosa do escritor — minha vida daria um romance.

Por exemplo, certa feita fui fazendeiro no Arizona um dia inteiro, ganhei um chapéu de *cowboy*, discuti problemas de irrigação e fiz um discurso para os apaches (ou navajos; eu estava um pouco assanhado e nunca me lembro se o discurso foi para os apaches e a dançadinha foi na dança de chuva dos navajos, ou vice-versa). Tornar-se fazendeiro no Arizona é muito mais fácil do que parece assim à primeira vista, basta o sujeito estar no Arizona e ser um pouco abestalhado — precisamente meu caso naquele dia.

Eu integrava um grupo de estudantes brasileiros, que os americanos estavam levando numa *field trip* ao Arizona. Americano gosta muito de levar a gente para *field trips*, uns passeios cuja atividade principal consiste em ouvir palestras feitas por um camarada de camisa de colarinho, manga curta e fala anasalada, bebendo café em xícaras de papel enormes e ganhando de presente um extraordinário número de folhetos e livrinhos. E, claro, todo mundo usando crachá, porque americano gosta de crachá ainda mais do que a Rede Globo, é impressionante.

Então a gente estava no Arizona, todos muito resignados e tomando xícara após xícara daquele café na esperança de dar uma mão para a balança comercial brasileira, e ouvindo palestras sobre projetos de irrigação. Não que a gente estivesse particularmente interessada em irrigação, mas não tem água no Arizona e aí eles ficam orgulhosíssimos de qualquer reguinho que constroem, fazendo questão de mostrá-lo pormenorizadamente aos visitantes. No segundo dia de visitas a regos e calhas, atrasei-me por causa de um pernambucano que não falava inglês e tinha medo até de entrar no elevador sozinho. Como ele parecia sempre à beira de atacar os presentes a peixeiradas (carregava um canivetão mestiço de peixeira), eu ficava ali ajudando e acabava atrasado.

Desci afobado para o saguão do hotel e, não vendo ninguém do grupo, perguntei ao homem da recepção se ele não sabia onde estava o pessoal. Ele perguntou meu nome, olhou uma lista e me entregou um crachá. "O ônibus é aquele ali, já vai sair", explicou, apontando para a rua. Estranhei o crachá, porque já tinha um, mas raciocinei que me encontrava na terra da fartura e havia que dar saída para a produção da indústria crachaleira. Era diferente do antigo e, estranhamente, dizia "Ribeiro-Brasil". Se todo mundo era do Brasil, por que a indicação do país? Bem, talvez fosse uma coisa maior, com gente de outros lugares. Corri para o ônibus, entrei, sentei, o motorista imediatamente fechou a porta e saiu velozmente. Pela janela, aquelas montanhas e despenhadeiros que a gente vê no cinema, por trás dos quais despontam as cabeças dos índios antes do massacre do forte. Acho que passei alguns minutos distraído com a paisagem e, quando resolvi olhar em torno e puxar papo, bati o olho num rosto oriental e simpático a meu lado. "Huan-Taiwan", dizia o crachá. Será que há alguma cidade paulista chamada Taiwan? — pensei rapidamente. Mas aí dei uma panorâmica nos outros passageiros e descobri que, naturalmente, estava no ônibus errado. Estava numa *field-trip* de fazendeiros, é claro, no lugar de algum xará cujo pernambucano era mais difícil que o meu e o atrasara ainda mais. No comecinho, ensaiei ficar em pânico: se fosse uma viagem para outro Estado, por exemplo, extraviando-me definitivamente do meu grupo? Mas tinha despertado do devaneio exatamente com o motorista explicando que estaríamos de volta ao hotel às sete horas da noite, mesma hora prevista para os brasileiros. E aí passei o controle para o diabinho que acompanha os escritores aventurosos, sujeitinho muito cínico, mas de grande simpatia. Afinal, sempre tive a fantasia de ser fazendeiro. "Quando Deus dá, a gente pega", diz minha avó alagoana, d. Amália.

Fiquei imaginando que tipo de fazenda seria a minha. A primeira coisa que me veio à cabeça foi cacau, mas achei que fingir de rico com oito dólares no bolso podia ser arriscado. Cacau não. Que tal gado? Não, podia ser que quisessem que eu montasse num cavalo e não sou chegado ao hipismo. Além disso, para distinguir um boi de uma vaca, me vejo obrigado até a ser mal interpretado. Milho! Milho eu manjo mais ou menos, posso fazer até um charme, explicando como planto feijão no meio do milharal. Claro! Grande fazendeiro de milho do Norte do país! E ainda criava do lado umas galinhazinhas, umas cabrinhas, umas árvores frutíferas, essas coisas de fazenda mesmo.

Vocês não sabem como o fazendeiro de milho brasileiro tem prestígio no Arizona, principalmente quando este fazendeiro fica assistindo à televisão até tarde e aprende a fazer piada de americano. E também adaptei ao gosto local aquela velha da surdinha que estava presenciando a conversa de dois fazendeiros a respeito de um pé de milho pequenininho que deu cada espiga destamanho, fiz grande sucesso. Escolhido orador da turma para os apaches (ou navajos), alinhavei palavras emocionadas sobre o homem e a terra, quase levando o Fessenmeyer às lágrimas (o Fessenmeyer, plantador de trigo em Iowa, era um dos americanos do grupo, que ficou muito meu amigo e quis até visitar minha fazenda). Entre os navajos (ou apaches), introduzi uns jogos de braço baianos na dança da chuva, prometi enviar ao chefe um mandacaru de presente e ensinei como fazer amendoim cozido.

Voltei de chapéu de *cowboy* para o hotel e, de noite, ainda fui com o Fessenmeyer ao Pussycat, taverna local de fino trato, onde as garçonetes se vestiam de gatinhas (quer dizer, só os bigodes e o rabinho, o resto quase nada, nada) e nós, fazendeiros, discutimos as vantagens e desvantagens de destilar uísque lá na roça mesmo, em vez de comprá-lo no armazém. Viajamos, cada um para seu canto, no outro dia, nunca mais vi o Fessenmeyer ou o Huan (que plantava arroz e ficou de me mandar umas sementes, mas nunca mandou). Talvez seja por isso que, ao passar junto de uma dessas barraquinhas que vendem milho verde aqui no Leblon, eu seja o único morador do Rio que pára, respira fundo e sente uma certa saudade do Arizona. O escritor, além de aventuroso, precisa ser original.

Não Estou Preparado

Sou do tempo em que (aliás, sou do tempo de qualquer coisa antiga em que vocês pensem aí, venho descobrindo isto cada vez mais rápido) gordura e barriga eram vistas de maneira muito diversa da de hoje. O gordo era forte e, se bem que as tetéias (ou peixões, ou uvas, ou sereias ou tantas outras gírias que já designaram as boazudas) não fossem gordas, magrinhas como as que hoje estão na moda não fariam muito sucesso. Mulher tinha de ter carne e, preferivelmente, seguir o modelo violão.

Jejuo em competência para falar no assunto, pois, ai de mim, nunca passei da marca de amador esforçado, nesse como em tantos outros terrenos. Mas, como acredito haver companheiros ou colegas meus entre vocês, bem como curiosos que queiram saber como se passa a vida na hoje chamada — xingo o primeiro que usar essa expressão em relação a mim — "bela idade", continuo um violonista convicto, como continuam os de minha faixa etária, na sondagem informal que vivo fazendo. Parece haver qualquer coisa na malhação de hoje em dia que não deixa a cintura afinar, ou então estreita os quadris. Aí o tronco da mulher erecta (é só da mulher que estou falando), silhuetado, parece um retângulo sem graça e sem mistério. O fato é que a mulher violão legítima, padrão nacional, está em desuso, ostracismo mesmo, mais uma vítima da globalização, mais uma sombra que gradualmente se esvai no passado e que, no futuro, todo mundo talvez esqueça que existiu.

Conversa de velho, dirão as que porventura se sentirem atingidas. Certo, certo, mas nem por isso menos verdadeira. Aliás, pelo contrário, ainda mais verdadeira exatamente por isso, porque traz em si, entre as mentiras que contou e experiências reais que sua memória hoje enevoada já não distingue, a experiência do velho, tanto assim que reza antigo provérbio árabe que "quem não tem um velho que procure comprar um". Que é que vocês estão pensando? Tem muito velho por aí em melhor forma do que a maioria dessa juventude criada com hambúrgueres e pizzas. A velhice está na cabeça etc. etc.

Bem, chega de mentiras que mal consolam e reconheço que as linhas acima foram um nariz-de-cera, embora sem querer. Eu ando tendo uns ataques de aparente demência senil e aí começo a querer repetir essas bobagens, fazendo força para acreditar nelas. Tenho mais é que seguir os conselhos de Zecamunista, lá de Itaparica, que já passou dos setenta e me falou de sobrolho severamente franzido, no bar de Espanha.

— Não importa o que lhe digam — sentenciou ele —, idade só ensina uma coisa básica, uma única coisa: idade é uma merda. E, quanto mais velho você fica, mais isso se radicaliza. Eu tenho a impressão de que, se por um acaso, o sujeito envelhecesse até uns duzentos anos, cheio de achaques, claro, mas vivo, só diria isso. Sintetiza toda a sabedoria acumulada pela raça humana ao longo de milênios, tudo pode ser resumido nela. Se eu fosse Jorge Luís Borges, escrevia uma história sobre isso. Eu, que só tenho setenta, já estou compreendendo isso, quanto mais um cara de 200 anos. A idade só leva vantagem sobre a alternativa, que também é uma merda. Enfim, somado tal com qual, isso menos aquilo, noves fora lá e cá, tudo junto é uma merda só. Aliás, o merdismo, como podemos chamar essa nova visão filosófica...

Felizmente Zecamunista é um orador que facilmente entra em transporte espiritual e, quando nesse estado, não vê nada ou ninguém em torno, de maneira que pude sair sem ter que assinar a ata de fundação da primeira academia merdologista do Brasil, que é bem capaz de ele ter fundado, lá em Itaparica. E novamente, já um tanto envergonhado dos colegas de profissão e pouco tendo para explicar ao editor, reconheço que, nas linhas acima, só fiz encompridar o nariz-de-cera. Chega disso, não preciso desses recursos baratos, só entrei nessas para ajudar os professores de jornalismo a mostrar a seus alunos o que é um nariz-de-cera, eu faço qualquer coisa pela educação da juventude.

Mas, sim, chega disso. Meu assunto é bem outro. É que, no meu tempo, havia, em certas damas, declarada admiração por barrigas masculinas. Nos rapazes tipo esses moços, pobres moços, ninguém achava nada demais uma barriguinha e, ao contrário, havia alguns barrigudos na faculdade que faziam enorme sucesso com as mulheres, em época na qual fazer sucesso com as mulheres dava muito mais trabalho do que hoje. E, para homens bem estabelecidos na vida, já mais maduros, acho que até a falta de barriga era notada. Um comendador sem barriga era incogitável, o mesmo podendo ser dito de um amante rico. Até nas caricaturas isso era retratado.

Não estava, pois, preparado para o que vem aí. A malha médica, que fecha seu implacável cerco cada vez mais assiduamente, a ponto de eu descobrir todo dia um órgão novo que não sabia que tinha, deu para fazer umas reuniões confabulatórias até com minha família e, repentinamente, minha barriga surgiu. Quer dizer, ela estava aí mesmo, onde se encontra no momento, mas na dela, procurando, acho eu, passar tão despercebida quanto possível.

Me mediram todo, me pesaram todo, trocaram mensagens cifradas e, enfim, resolveram que minha barriga é a responsável por tudo o que me aflige e aflige a família e amigos próximos. Eu nunca tinha sabido que pular a marca dos não sei quantos centímetros de barriga era capaz de causar tanta doença. Diabetes é inevitável, assim como uns dois infartos por semestre. Suspeito até que fiquei careca por causa da barriga. Vou ter de passar fome. Já comecei, aliás. A doutora me consolou, explicou que não era tão mau assim e ia até ter efeitos positivos na minha percepção do universo feminino. Como assim, o sofrimento para manter a boa forma? Han-han, disse ela, TPM mesmo.

Boas Entradas num Boteco do Leblon

— E aí, tudo bem na passagem de ano?

— Tudo bem, na maior tranqüilidade, gostei muito dos fogos.

— Tranqüilidade? Tu chama aquilo de tranqüilidade? Onde é que você foi?

— Lugar nenhum, fiquei em casa. Tranqüilidade. Segurança contratado pelo condomínio, porteiro treinado, tevezinha malocada no elevador e em cada andar e tevezão em casa. Umas garrafinhas de champanhe pro pessoal mais fresco, uma garrafa de uísque pra mim, melhor programa não pode haver.

— Ah, em casa, malandro? Não tem nada a ver, tu tinha era que estar lá pessoalmente.

— Otário. Papo de otário. Otário e reacionário.

— Otário? Otário e reacionário? Otário e reacionário é quem fica em casa, podendo curtir a beleza do espetáculo ao vivo, é um dos privilégios de morar no Rio de Janeiro.

— Otário e reacionário. Só não digo burro porque te conheço e sei que tu não é burro. Otário e reacionário. É como jogo pela tevê. Claro que se vê o jogo pela tevê muito melhor que no estádio. E mais barato. Cada um traz sua caixinha de cerveja, morre nuns cinco paus para a vaquinha do sinal da tevê e assiste tudo sem se preocupar com bala perdida ou torcida assassina. Otário e reacionário é o que você é. Não digo bem reacionário, digo retrógrado. Pronto, retrógrado, defasado com seu tempo.

— Desculpe, mas no caso eu acho que otário é você.

— Olha aqui, não vamos discutir, porque tu vai se dar mal e eu prezo muito tua amizade pra querer te melindrar. Mas eu, podendo assistir tudo no conforto e na segurança de minha casa, numa zorra de um telão que eu comprei e não me arrependo, foi a melhor coisa que eu já fiz, eu, podendo estar aqui na maior, sem preocupação, vou pra rua, ser figurante gratuito da tevê? Porque isso é o que vocês são, figurantes gratuitos das tevês. Elas vão lá e ainda chamam você de galera, eu não suporto que me chamem de galera. "Olha lá a galera aplaudindo os fogos", não sei o quê. Isso não tá com nada, cara, o futuro já chegou e é diferente. Burrice sair de casa, o Rio está se constituindo numa experiência do futuro. O Rio e São Paulo e acho que tem outras cidades brasileiras no mesmo caminho, a tendência natural do futuro é essa. Eu sou muito otimista, acho que a informática e as comunicações vão resolver tudo, inclusive o problema das drogas. Nosso conceito de cidade está ultrapassado, nós precisamos acabar de equacionar a cidade do futuro, é só ver as possibilidades. Por exemplo, quem precisa sair de casa?

— Você acha que o sujeito não deve sair de casa?

— O mínimo possível. Não precisa.

— Quer dizer que, por exemplo, acabam as visitas e os papos, acabam os restaurantes?

— Aí é que eu digo que tu é retrógrado. Tu não já leu nos jornais, não? Está desaparecendo o restaurante, agora o sujeito recebe tudo em casa e, se quiser, muitos restaurantes oferecem o mesmo serviço, com garçom e tudo. O restaurante que não se adaptar pode ficar lá desertinho a noite toda, que ninguém mais vai ser maluco de sair de noite, a cidade do futuro é outra, te situa, cara.

— Quer dizer que tu acha que agora, por exemplo, pra conversar com os amigos o sujeito vai ter que promover reuniões em casa. Por aí já se vê que tua tese é furada. Pra fazer reunião em casa é preciso que os outros participantes saiam das suas. Portanto, alguém sai de casa. Esquema furado.

— Desculpe, mas você não está confirmando tua inteligência. Ninguém precisa sair de casa. Tu sabe meu telão? Se eu quiser, eu ligo ele no meu computador e, com uma webcam instalada, converso com dois ou três amigos ao mesmo tempo, até as famílias inteiras, sem sair de casa. Sacou?

— Mas isso é uma maluquice. Quer dizer que acha que...

— Maluquice é a sua, que não vê que a realidade é outra. Tu manja o Skype?

— Eu sei, é um programa de computador pro camarada falar.

— E de graça! E é um programa que ainda pode ser considerado primitivo, ainda vai melhorar muito. Pois outro dia, o Lustosa, a mulher dele e o filho mais velho e o Lafayette, aquele coroa baiano que imita Dorival Caymmi, todo mundo ficou conversando pelo Skype horas, como se estivessem aqui na sala. É só botar umas boas caixas de som, um bom microfone e a reunião está pronta, com muito mais conforto e sem precisar sair de casa, dá até para fazer degustação de vinhos, cada qual com sua garrafinha em casa.

— Que horror, eu acho isso o fim.

— É o que eu digo: reacionário, não vê que os tempos são outros. Agora a gente pode dar até uma festa assim. Tenho certeza de que daqui a no máximo uns cinco anos, quando o cara quiser dar uma festa, é só combinar ligar os computadores e os telões e todo mundo participa da festa, sem precisar botar os pés fora de casa. Não, tu tá por fora. Reacionário, retrógrado, pessimista. Tudo vai melhorar, vá por mim. Até o país como um todo vai melhorar.

— Como é que tu sabe?

— O Homem garantiu, tu não viu, não? E, quando ele garante, tu sabe como é, ele faz. O futuro é belo, cara, tu é reacionário.

copyright © by João Ubaldo Ribeiro

Todos os direitos desta edição
reservados à Editora Objetiva Ltda.,
rua Cosme Velho, 103
Rio de Janeiro – RJ – CEP: 22241-090
Tel.: (21) 2199-7824
Fax: (21) 2199-7825
www.objetiva.com.br

Direção de design
Ricardo Leite

Design
Sérgio Carvalho

Edição
Isa Pessôa

Produção gráfica
Marcelo Xavier

Revisão
Rodrigo Rosa de Azevedo
Marcelo Magalhães
Cristiane Pacanowski

Editoração eletrônica
Abreu's System Ltda.

CIP-BRASIL. CATALOGAÇÃO-NA-FONTE
SINDICATO NACIONAL DOS EDITORES DE LIVROS, RJ.

R369r

    Ribeiro, João Ubaldo
      O rei da noite / João Ubaldo Ribeiro. - Rio de Janeiro : Objetiva, 2008.

    197p.   ISBN 978-85-7302-929-1

    1. Crônica brasileira. I. Título.

08-3959   CDD: 869.98
                                     CDU: 821.134.3(81)-8

Conheça mais sobre nossos livros e autores no site
www.objetiva.com.br
Disque-Objetiva: (21) 2233-1388

Impressão e Acabamento:

Geográfica editora